KB178197

사례로 보는
크리스천
퍼실리테이션

사례로 보는 크리스천 퍼실리테이션

발행	2023년 12월 18일
저자	한혜정,김지은,이효성,현경숙,김은선,최성연,박윤희,박금남,이정미
펴낸이	한건희
펴낸곳	주식회사 부크크
출판사등록	2014.07.15.(제2014-16호)
주소	서울 금천구 가산디지털1로 119 SK트윈테크타워 A동 305-7호 (주)부크크
전화	1670-8316
E-mail	info@bookk.co.kr
ISBN	979-11-410-6041-1

www.bookk.co.kr

ⓒ 사례로 보는 크리스천 퍼실리테이션, 2023
본 책은 저작자의 지적 재산으로서 무단 전재와 복제를 금합니다.

사례로 보는
크리스천
퍼실리테이션

한혜정, 김지은, 이효성, 현경숙, 김은선,
최성연, 박윤희, 박금남, 이정미 지음

목차

선한 영향력을 끼치기 원하는 학우들과 함께

이 책은 소그룹이나 워크샵을 할 때 먼저 마음을 열고 하나님을 만나는 시간이 되기를 바라는 마음으로 제작되었다.

지식층이 많아진 요즘 모두 나의 소리를 내기를 원한다.

하나님은 어제나 오늘이나 동일하시지만 환경의 급변함으로 바빠진 시간속에서 사람들은 자신의 소리를 내고 싶어한다.

소통의 필요를 말하고 있다. 가정에서, 교회에서 소그룹이나 워크샵을 하면서 만남을 갖고 있지만 모두가 소외되지 않고 같은 방향을 보기를 원한다.

한 학기를 함께 하면서 워크샵이나 다양한 사례를 볼 수 있는 시간이 되었다. 함께 설계하고 열정으로 참석한 학우들과 대상이 다른 사례가 도움이 되기를 바라면서 저술하게 되었다.

‘퍼실리테이션 수업을 들었던 세계 각지의 학우들과’

2023. 11월

제1강

크리스천의
퍼실리테이션

한혜정

37. 예수께서 이르시되 네 마음을 다하고 목숨을 다하고 뜻을 다하여
주 너의 하나님을 사랑하라 하셨으니
38. 이것이 크고 첫째 되는 계명이요
39. 둘째도 그와 같으니 네 이웃을 네 자신 같이 사랑하라 하셨으니
(마태복음 2 2 : 3 7 - 3 9)

예수 그리스도를 구주로 영접한 사명자의 관계 보고서가 퍼실리테이션이 되는 것은 어떨까?

관계의 기본을 아는 선한 영향력을 끼치는 사람에게 가장 중요한 것은 사랑으로 수직적인 관계가 잘 될 때 수평적인 관계가 이루어진다.

날마다 성경 말씀대로 삶으로 예배하는 자들은 사랑 메신저들이다. 소통으로 소그룹에서 생명을 살리는 기능으로 시너지를 일으킨다.

관계는 쉬운 일이기도 하지만 갈등으로 인한 스트레스가 되기도 한다. 대화가운데 마음이 서로 통하고 나서야 상대방을 바로 알게 되고 왜곡된 부분을 해소하게 된다.

SNS로 소통하는 요즘은 실시간 소통은 하지만 마음을 다 나누기에는 턱없이 부족하다.

그리스도인은 하나님과 소통이 되어야 사람과의 소통이 되고 세상과의 소통도 할 수 있다. 우리의 근본은 하나님을 사랑하되 마음을 다하고 힘을 다하고 뜻을 다하고 목숨을 다하여 사랑하고 자신과 같이 이웃을 사랑하라고 한 삶을 사는 것이다. 삶 자체가 소통의 연속일뿐 아니라 사랑의 실천이다.

AI가 일상에서 자연스러운 요즘이다. 사람과 기계가 접목되면서 '인간미'가 사라지는 것은 하루 아침에 된 것이 아니다.

1994년 서울 논현동에 인터넷 학교가 생겼다. 모뎀으로 접속하는 인터넷은 연결속도가 늦을뿐 아니라 그림 파일을 보내려면 하루종일 보내야 했다. 필요한 소프트웨어를 원서로 한달을 공부하고 나면 새로운 소프트웨어가 쏟아지고 있었다. 그때의 속도감으로 현재까지 왔으니 가속화라는 말이 무상하다. 우리를 빅데이터로 읽어 내고 일상생활이 그대로 데이터가되고 있다.

우리는 점점 소통이 사라지고 마음의 벽은 더 깊어져서 사
람의 소리를 들어주는 AI와 대화하게 되었다. 1인 가구로 변하
고 로봇과 소통해야 되는 시즌이 된 것이다.

미래에 필요한 역량으로 협업하고 협상하고 감성을 이야기하는 시대
이다. 사람은 나와 다른 사람들과의 모임가운데서 우리의 소리를 함께
공유하고 서로 도와주면서 조율해갈 때 다양한 관점을 갖게 될 뿐 아니
라 우리는 성장을 한다. 2020년 다보스포럼에서 미래인재가 갖추어야
할 10개 핵심역량으로 제시하면서 소통이 중요한 역량 덕목으로 떠올랐
다.

<표1 다보스포럼 내용>

2020년	2015년
Complex Problem Solving	Complex Problem Solving
Critical Thinking	Coordinating with Others
Creativity	People Management
People Management	Critical Thinking
Coordinationg with Others	Negotiation
Emotional Intelligence	Quality Control
Judgment and Decision Making	Service Orientation
Service Orientation	Judgment and Decision Making
Negotiation	Active Listening
Cognitive Flexibility	Creativity

미래를 아는 것은 영적 부분으로 절실하게 영적 리더십이 필요하다.
우리가 세상을 바라보는 시각이 사람이 생각하는 관점과 다르게 세상을

창조한 그분의 인도를 잘 받는 것이 중요하기 때문이다. 사람의 생김도 다르고 비슷한 성향인 것 같지만 독특하게 만든 사람들의 집단에서 창의적인 결과물이 나올 수밖에 없다. 한치앞을 볼 수 없는 우리가 협업하는 그 자체가 은혜이고 그 안에서 목적이 있는 삶을 발견하게 되기도 한다.

  다보스 포럼에서 10가지 미래 핵심역량에 많은 사람들의 동의를 얻었다. 합리적인 조직의 일을 위한 기본 소양이라고 보여진다.

  크리스찬 입장에서는 가장 중요한 영적 리더십을 추가해야 한다. 세상에서 요구하는 역량을 가졌을지라고 가장 좋은 방법으로, 최선의 것을 찾는 방법은 영적인 세계를 이해하는 사람의 기도에서 나오는 것이다. 그렇게 했는때 퍼실리테이션으로 선한 영향력을 끼치는 결과물이 도출된다.

  <그림1> 다보스 포럼자료에 영적 리더십 추가.

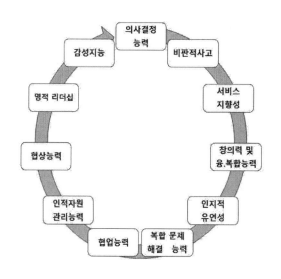

  출처:WORLD ECONOMI FORUM 2020년 재인용.

사람은 이 세상에 태어날 때 사명을 갖고 나온다. 영적으로 보고 해석하는 영적 리더가 전문성을 갖고 다른 사람과 협업할 때 놀라운 통찰력을 갖게 된다.

모든 사람은 천재다. 하지만 만약 당신이 물고기를 나무 오르는 능력으로 평가한다면 그 물고기는 평생동안 자신이 바보라고 믿으며 살 것이다.
-아인슈타인-

유대인의 하브루타가 창의력을 키우고 하나님의 관점에서 바라보는 훈련이듯이 크리스천 퍼실리테이션이 그리스도인의 협업을 통한 관계에서 확장된 관계의 좋은 통로가 될 것이다.

1. 소통의 퍼실리테이션

현대의 리더는 어떤 모습이여야 할까? 늘 고민이 되는 생각이다. 전문코치의 이야기중에 미국인 30대 이사가 회사생활을 하는데 소통이 안되서 고민이 되어 코칭을 받았다고 한다. " 왜 직원들이 나와 이야기하는 것을 좋아하지 않을까요? "코치는 논리적이고 업무적으로는 조금도 빈틈이 없는 젊은 이사님이 정답을 요구하는 자리에 서로를 피하고 꼭 필요한 경우에만 만나게 되는 시간이 되었다. 사소한 것부터 바꾸는 것으로 시작했는데 직원이 들어올 때 웃는 얼굴 표정을 먼저 하기로 했다고 한다.

책상위에 거울을 놓고 직원이 들어오면 웃는 표정으로 맞이하는 것이였는데 효과가 있었다고 한다.

업무중의 나의 표정은 어떨까 생각해보니 무표정으로 대했을 것 같다. 일상의 사소한 것 하나에서 자신을 보는 것과 함께 하는 사람을 대하는 것에 대한 것을 생각하는 시간이 되었다.

크리스천은 성령님의 내주하심으로 기쁨을 갖고 있다.

데살로니가전서 5장에 우리가 해야 하는 일중에 항상 기뻐하라고 하는 것은 은영중에도 기쁨을 갖고 살라고 하는 명령이였다.

기쁨이 커질뿐 아니라 생명을 살리는 길로 인도하는 좋은 도구가 퍼실리테이션이다.

16. *항상 기뻐하라*
17. *쉬지 말고 기도하라*
18. *범사에 감사하라 이것이 그리스도 예수 안에서 너희를 향하신*
하나님의 뜻이니라

그분이 주신 기쁨을 나누는 공동체에 있는 그대로 서로를 인정하고 그 안에서 그분이 원하시는 뜻을 발견하고 하나님 나라를 확장하는 것이 퍼실리테이션이다.

퍼실리테이션은 ‘Facilitate’ 무언가를 용이하게 잘되게 하다에서 ‘Facilitation’이 나왔다. 그룹이 잘하도록 돕는다는 것이다. 그것을 진행하는 ‘Facilitator’는 퍼실피테이션에 전문성이 있는 사람으로 기도하면서 객관적으로 진행을 하는 사람이 필요한 것이다. 기도하면서 자신의 생각을 내려놓고 생명을 살리는 크리스천 퍼실리테이터는 점점 더 필요성이 대두 되어지고 있다.

사람들이 모두 참여하여 다양한 관점을 이해하고 결정하거나 해결해야 하는 문제에 대한 답을 찾도록 돕는 일이 퍼실리테이션이다. 즉, 사람들의 지혜와 창의성에 대한 깊은 믿음이 있어야 하고, 서로에게 선한 영향력을 찾는 목적이 있어야 한다. 경청하는 역량과 공동체에 대한 합리적인 지식, 그룹에 내재된 에너지를 발견함, 개인과 관계속에서의 존중, 올바른 의사결정, 공동의 참여과 목적에 대한 급한 마음을 내려놓는 인내심과 높은 관용이 버무려져서 새롭고 창의적인 뿐 아니라 합의된 결과물을 얻는 퍼실리테이션이 이루어진다.

퍼실리테이션은 세프가 맛깔나게 재료를 잘 버뮤려서 향과 맛과, 기쁨을 주는 것과 같이 맛을 내는 작업이다.

2. 크리스천 퍼실리테이터

퍼실리테이터의 라틴어 어원에는 '가능하게하다, 쉽게 만들다'의 의미가 담겨 있다. 사람의 가능성을 보고 인도를 받아 갈 수 있는 크리스천 퍼실리테이터는 함께 일하기 좋은 사람, 팀 플레이어와 공동체와 개인의 역동을 알고 있는 사람이다. 그룹의 멤버들이 효과적인 협업을 할 수 있도록 돕기도 하고 커뮤니케이션, 공동문제해결, 기획, 합의등 갈등해결과 대인 스킬에 대한 지식과 역량이 있는 사람이다.

퍼실리테이터는 내용에 대한 전문가가 아니다. 토의 과정에 대한 전문가로 참석자들이 솔직하게 자신의 의견을 이야기 하고 창의적인 아이디어를 낼 수 있도록 효과적으로 돕는 것이다.

퍼실리테이터의 역할은 다양한데 잘 들어주는 사람이 될 때 질문으로 중립적인 역할을 감당할 수 있다.

크리스천 퍼실리테이터는 기도로 성령님의 인도를 받으면서 한 사람의 존재를 귀하게 여기면서 진행하게 된다. 소외되는 것 없이 한 지체로 공동체를 이루어가는 과정에 하나님이 함께 하실 때 아름다운 일을 만들어가는 생명의 시간이 된다.

퍼실리테이터는 촉매역할을 한다. 아이디어와 참여자 사이의 상호작용을 증대하는 것으로 일을 완수 할 수 있도록 공정하고 포괄적이면서 시너지를 높인다.절차중 가치를 실현하고 비전과 목표를 명확히 제시하고 모두의 참여를 이끌어 내서 스스로 가능성과 재능들을 충분히 활용할 수 있도록 돕는 리더이다.

<그림 2. 퍼실리테이터의 역할 >

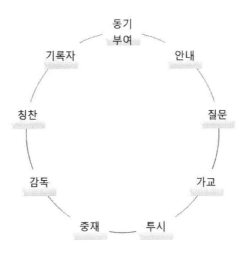

퍼실리테이터의 역할은 다양하다. 크리스천 퍼실리테이터는 기도와 중심에 예수님을 모셔놓고 할 때 세상적 가치관을 뛰어넘는 지혜의 보고를 여는 역할을 하게 된다.

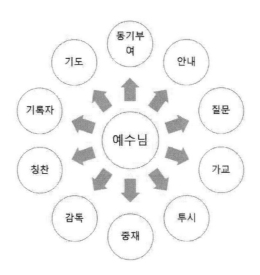

<그림3. 크리스천 퍼실리테이터의 역할 >

3. 크리스천 퍼실리테이션의 프로세스

워크샵에서 퍼실리테이터는 모든 사람의 주의를 하나로 모으는 것이다. 마음을 모으는 것이다. 도입부터 마무리까지 프로세스가 필요하다.

참여자들에게 워크샵의 주제를 과거와 미래의 맥락에서 정한다. 주제가 중요한 이유를 설명하므로서 창의적인 해답을 생각해내는 것에 집중할 수 있다. 프로세스에서 개인별, 팀별로 아이디어를 공유하게 된다. 목표로 하는 결과에 대한 그림을 제시하고 모두가 도출된 내용을 공유하게 된다. 결과가 어떻게 이용되는지를 이야기하게 되는데 사용할 수 있는 시간에 대해서 모든 사람이 이해할 수 있도록 알려 주어야 한다.

질문은 참석자 지식과 경험으로 대답할 수 있는 직접적이고 관련있는 질문을 한다.

* 워크샵에서 기본가정

1	모든 사람은 지혜가 있다
2	가장 좋은 결과는 모든 사람의 지혜가 만든다
3	틀린 답은 없다
4	부분이 모여서 전체를 만든다
5	모든 사람은 들어주고 말할 기회도 갖는다

모든 사람에게 귀를 기울이면 그 이면에 있는 지혜를 찾을 수 있다. 모든 사람에게 지혜가 있다는 것을 인정하면 타인의 말을 경청할 수 있고 그들이 시각이 가치있다는 것을 알게 된다. 비판적 시야에서 벗어나 모든 의견이나 아이디어에 대해 탐구하는 마음을 갖게 된다. 이런 변화에서 각각의 아이디어가 어떻게 전체 그림에 기여하는지를 보는 시각이 열린다.
참여자들은 퍼즐 한 조각을 갖고 있기 때문에 주인의식을 갖고 아이디

어를 잘 말할 수 있게 하고 다이아몬드의 많은 컷팅의 가치를 함께 만들어 가는 지혜가 필요하다.

워크샵은 논쟁이나 분석이 아니라 탐구이고 통합하므로서 개별에서 전체를 통해 얻어지는 통찰적 지혜가 있다.

옳은 답도 틀린 답도 없다. 주어진 한계가운데 생각해낼 수 있는 최선은 경청에서 나온다. 다른 사람의 아이디어 이면에 있는 통찰과 경험을 통해 창의적인 결과가 나오기 때문에 호기심을 가지고 들어 보도록 권한다.

모든 아이디어의 이면에는 관계가 드러날 때까지 단어를 통해서는 언급되지 않는 더 큰 그림이 있다.

자신의 지혜를 말할 뿐 아니라 다른 사람에게 귀를 기울이는 것은 내 판단을 내려놓는 겸손도 배우는 시간이 된다.

< 기본 프로세스>

4. 퍼실리테이션 디자인

퍼실리테이션은 활용분야도 다양해지고 있다. 가장 많이 활용하는 분야는 비즈니스과 조직에서이다. 기존 회의의 에너지 낭비를 막고 효율적인 회의 문화가 퍼실리테이션으로 인해서 되어지고 있다. 기존의 방식에서 서로가 시너지를 줄 뿐 아니라 서로 성장하는 기회로 사용되어지고 있다.

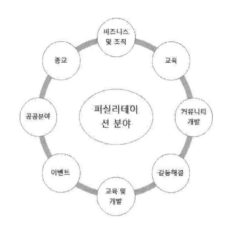

<그림 4. 퍼실리테이션 활용 분야>

퍼실리테이션의 활용 분야도 심리학, 사회학, 경영학, 교육학 등 다양한 분야에 활용되고 있다. 영역, 환경, 상황에서 그룹 협업과 의사결정을 지원하게 된다.

퍼실리테이션은 기본적인 프로세스를 갖고 있다. 코칭에서 GROW 대화 모델을 사용하여 확장하고 재구성하는 것처럼 기본 프로세스를 갖고 재구성을 하여 더 효과적이고 합리적인 프로세스 디자인이 필요하다.

퍼실리테이션 기법을 활용해서 사고를 확장하고 기록를 하면서 다양한 지지와 존중를 첨부하여 자신의 생각을 잘 이야기하도록 에너지를 더하는 것이 필요하다.

<그림5 : 자신의 생각을 말하도록 돕기, 출처 :민주적 결정 방법론 p293>

자신의 생각을 편안하게 이야기 할 수 있는 환경이 될 때 더 많은 아이디어로 서로의 교류가 잘 일어난다.

자신의 이야기를 경청하는 그룹에서 자존감도 회복된다. 그 마음은 다른 사람들에게 전달되어지고 사고의 확장이 되는 시기이기도 하다. 처음에는 내가 이야기해도 반영이 될까 하는 생각이 이 시점에서 나의 발언이 수용된다는 것을 알게 되면서 자유롭게 경청과 질문이 이어진다. 말한 사람의 이야기를 기록하면서 어떤 의미가 있는지를 질문하는 것도 필요하다. 경청자는 자신의 경험을 해석할 수 있기 때문에 객관적으로 듣고 다른 사람도 그 의미를 새롭게 인지할 수 있는 시간이 된다. 순서를 정하지 않아도 이야기 할 수 있는 분위기도 이루어진다. 이렇게 자신의 이야기를 하게 되었다면 한 걸음 더 나아가서 상호 이해를 증진시키는 것이 필요하다.

그룹이 브레인 스토밍을 한 목록을 갖고 깊이 논의할 주제를 몇 개 선택해서 자신의 경험에서 오는 왜곡을 제거하고 공유된 이해를 갖게 하는 프로세스이다.

< 그림6. 상호 이해를 증진시키기 위한 설계, 출처: 민주적결정방법론 p306 >

8가지 크리스천 퍼실리테이션 사례를 보았다. 적용 분야도 점점 더 확산 되어 지고 필요성이 뚜렷하게 보여진다. 종교분야에서는 수직적인 기본 바탕위에 수평을 이야기 하는 크리스천이 어쩌면 더 수직적이고 융통성이나 수평에 약할 수 있다. 하나님의 사랑을 바탕으로 할 때 우리는 더 세상의 소금역할을 감당하고 세상을 변화시키는 중심이 될 수 있다. 즉 성경말씀대로 행할 때 크리스천 퍼실리테이션이 더 좋은 기능을 하고 하나님 나라 확장에 기여하게 된다.

설계	현장준비	오프닝	본토의	클로징

• 3P분석
• 정보수집
• 상세과정
  설계
	• 정보/자료
	  배치
	• 토의도구
	  배치
	• 기자재 점
	  검
		• 3P안내
		• 아이스브
		  레이킹
		• 기대사항
		  점검
		• 참여규칙
		  설정
			• 브레인스
			  토밍
			• 분류 &분
			  석
			• 의사결정
				• 토의과정
				  회고
				• 결정사항
				  요약
				• 이후 조치
				  안내
				• 소감청취

<표2. 퍼실리테이션 기본 프로세스, 출처:더 퍼실리테이션을 링크하라, p81 >

크리스천 퍼실리테이션에서는 시작부터 끝까지 기도가 필요하다. 사람이 생각이 지혜로워도 완전하지는 않다. 늘 겸손의 자리에서 필요에 대한 생각과 그것이 어떻게 다른 사람과 관계에서 선한 영향력을 끼치는 지를 염두에 두고 진행하여야 한다.

사람이 마음을 자기의 길을 계획할지라도 그 걸음을 인도하시는 자는
여호와시니라.(잠언16장 9절)

사전준비	설계	현장준비	오프닝	본토의	클로징	마무리정리

• 기도
• 방향체크
	• 3P분석
	• 정보수집
	• 상세과정
	  설계
		• 정보/자료
		  배치
		• 토의도구
		  배치
		• 기자재 점
		  검
			• 라포 형성
			• 3P안내
			• 아이스 브
			  레이킹
			• 기대사항
			  점검
			• 참여규칙
			  설정
				• 브레인스
				  토밍
				• 분류 &분
				  석
				• 의사결정
					• 토의과정
					  회고
					• 결정사항
					  요약
					• 이후 조치
					  안내
					• 소감청취
						• 기도
						• 감사
						• 다음 단계
						  순환배치

<표3.크리스천 퍼실리테이션 프로세스>

한 사람을 만나는 것에도 우연이 없는데 그룹을 만나고 서로 이야기를 나눌뿐 아니라 자신의 무의식의 세계의 교류는 기도로 시작되어야 한다. 과정중에도 그 모두를 축복하고 마무리도 기도로 해야 한다. 이런 마음으로 시작된 공동체는 다르다. 영적 흐르고 다르고 에너지도 넘치게 되어 있다. 그곳에 지혜가 부어진다고 믿는다. 한 사람도 이 세상에 올 때 그저 오지 않듯이 만남을 소중히 여기고 서로를 귀하게 여길 때 영적 흐름도 달라지고 풍성한 은혜가 부어진다.

퍼실리테이션의 프로세스는 수평적 섬김의 기회가 있을뿐 아니라 더 깊이 하나님의 한 사람으로서 영혼을 예수의 마음으로 바라보는 것이다. 한 사람을 귀하게 여기고 그 사람안에 성령님이 계시다고 보는 사람과 필요할 때 수단 삼는 사람들과는 차원이 다를 수 밖에 없다.

시공간을 초월해서 사는 삶에서 어디에 가치를 두어야 하는 지를 아는 퍼실리테이터가 필요한 이유이기도 하다.

제2강

8가지
프리즘으로 보는 사례

크리스천 퍼실리테이션

'연결을 돕습니다'

김지은

"

하나님이 그 지으신 모든 것을 보시니

보시기에 심히 좋았더라

(창 1:31)

너희는 세상의 빛이라...

너희 빛을 사람 앞에 비춰게 하여.

(마5:14-16)

그의 안에서 건물마다 서로 연결하여 주 안에서 성전이 되어가고

...

예수 안에서 함께 지어져 가느니라

(엡 2:21-22)

"

진로 교육 강사로서 현재 세대이자 미래세대인 청소년을 학교 현장에서 만나고 있다.

청소년들을 만나러 가는 발걸음을 떼며 마음에 새기는 말씀들을 품고 교실 문을 연다. 창조주가 보시기에 너무 좋은 피조물이자 세상의 빛으로 지으신 우리 청소년들은 정작 자신들의 정체성을 모르고 경우가 있기에, 이들이 있는 모습 그대로 너무나 아름다운 존재이고 귀한 존재로 자신의 안에 창조의 빛과 숨결이 있다는 것을 일깨워 달라고 기도하며 학생들을 만나고 있다.

퍼실리테이션의 필요는 청소년들 안의 생각과 필요를 일깨워야 하는 것을 목적으로 하는 교육 워크숍의 시기에 있지만, 그 안에 필수요소인 경청, 화합과 협동은 어느 세대를 막론하고 처음엔 어렵기 마련이다. 다양하고 서로 다른 생각들을 어떻게 하나로 만들어가며 수행하고 결과물을 낼 수 있을까? 하는 의문점이 들게 된다.

보통의 회의나 워크숍 안에서는 구성원의 서로 다른 생각이 차이점만이 부각되어 각자 따로인 의견인 채로 두거나 주도성있는 혹은 목소리가 크거나 권위가 있는 구성원을 그저 따라가기쉽다. 그러나 이제 우리는 퍼실리테이션 설계와 그 진행을 통해 모두의 참여가 가능해지는 달라서 넓어지고 모아서 수렴되는 확장과 수렴의 세계를 경험할 수 있게 된다.

각자의 의견이 달라서 좋다는 것은 독립적으로 함께 존재해도, 또 섞여도 좋은 것으로 마치 따로 따로인채 이어 붙인 조각보가 멋진 것처럼, 어느 때는 섞여져서 새롭게 조색된 오묘한 색감의 물감처럼 하나의 구성만 있을 때 보다 의미있는 결과물이 나올 수 있다는 것이다. 이렇게 다른 의견들이 모여 하나의 결과물을 가져오게 하는 퍼실리테이션 설계와 수행은 서로 다른 악기가 만나 전혀 다른 느낌을 주는 오케스트라와 같다.

자 이제 교실안으로 들어가 청소년 각자의 악기의 소리를 존중하며 가장 아름다운 합주를 돕는 지휘자, 퍼실리테이터로서 함께 해보자.

이번 워크숍의 목적은
모둠별로 아이디어를 내고 그것으로 창업 아이템을 삼고 발표용 결과물을 구성해보는 것으로 창업 회사이름과 창업 아이템에 대한 결과물을 만드는 것이 이번 교육워크숍의 목표이다. 시간은 100분으로 제한적이고 대상은 중등학교 학생이다.

퍼실리테이터로서 주제와 내용구성을 다음과 같이 기획하였다.

첫째로 인사와 안내는 10분으로 내용은 현재 워크숍의 활동목적과 순서 및 진행과정을 안내한다. 이때 전체순서내용과 이 워크숍의 그라운드 룰을 일부 소개하고 한 두가지를 새롭게 정하여 눈에 띄는 곳에 게시하도록 한다.

둘째는 라포형성으로 10여분간 질문과 활동시간을 갖도록 한다. 질문은 강사에 대한 퀴즈 및 구성원이 가지는 본 워크숍에 기대하는 바를 들도록 하고 모둠의 협동의 즐거움과 필요를 몸소 느낄 수 있도록 모둠별 컵 쌓기를 해보도록 한다.

셋째는 의견 나누기로 20여분간 모둠원 각자의 불편함을 발표로 나누고 포스트잇으로 시각화 하여 문제 에 대한 토론과 주제선정이 되도록 한다. 이때 브레인스토밍과 브레인 라이팅을 함께 사용하며 중보투표 방식으로 선정한다.

넷째는 휴식 시간을 10분간 가지며 다른 모둠의 결과물을 살펴본다. 갤러리 워킹 방식으로 진행하도록 한다.

다섯째로 실천하기는 30분으로 모둠별 하나로 선정된 불편함의 주제에 대해 어떻게 하면 해소 할수 있을까? 불편함 해소를 서비스나

제품으로 발전시킬 수 있을지 토의하고 결정해가도록 한다. 그 이후에 그 모둠이 창업하고자 하는 회사의 기업가치와 기업이름을 정하고 발표자료를 만들도록 한다. 이 과정은 브레인스토밍과 브레인라이팅을 순서대로 사용하며 그 자료를 유목화 시켜 결정할 수 있도록 돕는다. 자연스러운 합의가 어려운 경우 중복투표방식으로 모둠원 1명당 3개의 주제 및 내용을 선택할 수 있도록 하여 다수결에 따라 최다 득표수로 기업명 등을 정하도록 한다.

여섯째는 10분간 각 모둠의 발표를 통해 서로의 아이디어를 공유하는 것으로 순서를 가지고 모둠별 발표를 한 후에 자유롭게 갤러리 워킹을 통해 서로의 발표 내용과 아이디어에 대해 질문과 답변 시간을 갖고 장단점을 피드백한다.

일곱째, 5분여간 워크숍을 되돌아보고 스스로 정리하는 시간을 갖고 마지막 5분은 서로의 소감을 듣는 것으로 본 워크숍을 마무리하도록 한다.

퍼실리테이션 설계에 따른 실행은 다음과 같다.

인사와 안내

이번 교육 워크숍의 목적은 "모둠별 모의창업 경험하고 발표하기"로서 "창업 회사 기업명 및 제공서비스 개발 결과물 도출 발표물"이 최종 클로징 후 결과물이 되도록 한다.

경험할 수 있는 퍼실리테이터로서의 워크숍이 중학교 교실에서 이루어지는 다회기 교육이므로 시간은 100분 * 6회기 중 일부를 설계와 실행으로서 소개하고자 한다. 구성원에게 목표와 결과물에 관해 안내하고 이루어지는 과정에 대해 소개한다.

이 과정에서는 본 워크숍에서 지켜야 할 규칙과 태도로 미리 준비한 그라운드룰 예시를 보여주고 그라운드 룰을 한 두 개 추가하여 워크숍

장소 내부에 모두 볼수 있도록 게시한다.

라포 형성

 첫째, 퍼실리테이터의 소개를 퀴즈 형식으로 라포형성을 위해 사용한다. 사용했던 예시로 "숫자로 유추하여 맞춰보기"를 소개한다.

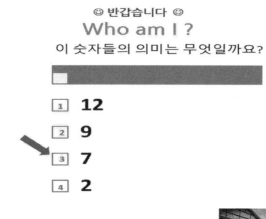

[그림1] 라포형성예시 1) 퍼실리테이터 소개
-숫자의 의미를 묻고 숫자에 해당하는 정보를 퀴즈로 제공

라포형성의 두 번째는 참석자가 갖는 교육 활동 워크숍에 기대되는

점을 한 두명의 희망자에 한해 듣고 세 번째로 모둠별 라포 형성을 위해 아이스브레이킹을 모둠별 협업 활동을 실시한다.

이 활동을 통해 협동의 필요와 즐거움 그리고 포기하지 않고 끈기 있게 지속하는 법등을 몸소 느끼게 된다.

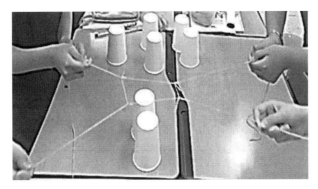

[그림2] 모둠별 아이스브레이킹 활동 - 함께 컵 쌓기

의견 나누기

라포 형성이 된 모둠은 한결 자연스럽게 주제에 대해 의견을 나눌 수 있게 되어 현재 나의 불편함에 대해 나누고 그중 하나의 불편함을 선정하도록 한다. 이때 브레인스토밍으로 충분히 의견을 나누고 외향 또는 내향적인 개인 성향으로 의견 개진을 못하는 모둠원의 의견도 잘 듣기 위해 브레인라이팅으로 의견을 시각화한다. 각각 3개의 스티커를 주고 중복 투표 방법으로 불편함의 주제를 하나 선정하게 된다.

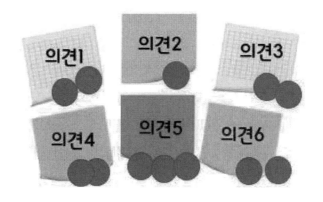

[그림3]의견나눔 및 선정작업-
브레인스토밍 후 브레인라이팅 및 다중투표

휴식

휴식 시간 10분 동안 갤러리워킹 방식으로 각 모둠의 불편함의 목록
들은 무엇인지 공유한다.

실천하기

모둠에서 선정된 불편함을 해결하려면 어떻게 해야 할까? 각자가 할
수 있는 방법을 브레인스토밍 방법으로 의견을 나눈다. 각각의 방법을
설명 후 서로의 해결 방법을 조언해준 후 그림 또는 글로 적도록 한
다. 해결 방법을 유형 또는 무형의 제품 및 서비스로 제공한다면 어떤
형태가 될까에 관하여 의견을 나누고 글 또는 그림으로 정리한다. 비
슷한 의견은 유목화하여 상승의견을 만들고 그중 가장 나은 의견을 다
수결로 정하도록 한다. 이때 '기타'라는 항목은 만들지 않고 유목화
표제어를 만들어 기타라는 항목에 아이디어가 뭉뚱그려 있지 않고 의

미를 가지도록 한다.

또한 다수결로 정해진 서비스를 창업 아이템으로 잡고 창업 아이템 개발제품을 출시할 회사의 이름을 정하도록 하는데 제품의 가치를 담은 기업명을 정하도록 한다. 위와 같이 브레인스토밍을 통해 같은 의견을 수렴하고 다수결의 방법으로 정하도록 한다. 기업명이 제품(창업 아이템)의 가치와 모둠원들의 합의된 가치를 담고 있는지 탐색하고 정하여 제공할 서비스와 기업을 발표할 자료를 만들도록 한다.

발표하기

모둠별로 불편함으로부터 시작된 창업 아이템과 창업 회사명 그리고 기업가치가 담긴 비전 등을 발표하고 모둠을 다니며 소개받는 시간을 갖도록 한다.

돌아보기

모둠별로 활동의 목적과 결과물을 살펴보고 워크숍에 가졌던 기대와 함께 돌아보는 시간을 갖고 적어보도록 한다.

마무리 및 소감

해당 교육 워크숍의 안내와 아이스브레이킹에서부터 결과물 도출에 이르기까지의 전 과정에 대한 소감을 의견을 나누도록 하고 의견을 나누고 도출하는 과정에서 느낀 점을 공유한다.

워크숍을 마치며 효과적이라고 생각했던 부분들은 인사와 안내 부분에서 진행 과정을 잘 안내하여 참가자들이 다음의 진행을 미리알고 준비하며 순조롭게 진행된 것과 목적을 알고 과정을 수행할수 있었던 것이다. 라포형성시에는 처음엔 말과 모션으로 퀴즈를 맞추며 몸풀기를 하고 컵쌓기와 같은 일어나서 하는 신체 활동으로 긴장감을 해소한 것이 좋았다.

의견 나누기에 있어서는 말로 하기 어려운 참가자들과 글로 쓰기를 어려워하는 참가자들을 모두 배려하여 말로 하고 글로 시각화하는 방법으로 의견제시를 효과적으로 하게 하고 어떤 의견을 내었는지 확인할수 있었던 것이 효과적이었다.

중간 휴식 시간에는 갤러리 워킹을 통해 자신의 모둠뿐 아니라 다른 모둠을 살펴보며 질문과 피드백하는 시간이 좀더 발전적인 시간을 주었고 워크숍 마무리 시간에 돌아보고 소감을 발표하며 배운점과 느낀점과 실천할 점등을 셀프 피드백하며 의미 있게 마무리되었다.

"모든 의견은 동등하게 귀중하다"

여러 다른 그라운드 룰이 있을지라도 가장 기본이 되는 것은 이것이다. 모든 의견은 동등하고 귀중하다는 것, 어느 하나도 쓸모없는 의견은 없다는 것이다.

귀한 존재인 우리 청소년들에게 그 존재가 하나님의 말씀으로 지어져 생명의 숨결이 불어 넣어졌음을 어떻게 알게 해주어야 할까? 그 첫걸음은 어떻게 떼어야 할까? 여러 방법중에 가장 처음으로 떼어야 발걸음, 현재 세대이자 미래세대인 청소년들이 스스로의 소중함을 일깨우는 그 걸음은 '모든 의견이 동등하게 귀중하다'는 태도로, 퍼실리테이션의 세심한 설계와 진행으로 실천할 수 있을 것이다.

존재를 지으신 하나님과의 연결, 달라서 좋은 구성권과의 연결로
자신의 존재의 특별함이 공고해지고 함께 하는 구성원에게도 그 시선
을 돌려줄 수 있는 청소년으로 자라가는 것을 돕는 준비된 퍼실리테이
터가 되기를 소망하게 된다.

그림3출처 : :
게티이미지뱅크무료이미지
(https://www.gettyimagesbank.com/free/my-pretty-post-it/jv11420573?pc_ver=y)

제3강

교회학교에서
사용하는
퍼실리테이션

이효성

교회의 교육부서 만큼 짧은 시간 안에 다양하고도 획기적인 기획안을 만들어야 하는 조직은 흔치 않다. 특이점은 이러한 방대한 기획안이 대부분 한 사람의 손을 통해 이루어진다는 점이다. 부서를 담당하는 사역자의 손이다. 교회학교 사역에서의 담당 부서 사역자의 의존도는 매우 높다. 사역자에게 의존도가 몰려있다는 것은 그만큼 사역자의 역량을 마음껏 발휘할 수 있음을 의미한다. 하지만 문제도 있다. 사역자가 느끼는 책임감과 부담이 너무 크다. 책임감과 부담은 사역자가 쏟아야 하는 에너지 소비와 사역 양에 비례하기 때문이다. 이러면 사역의 지속성이 떨어진다. 사역은 마라톤과 같다. 오래 달릴 수 있는 방법이 필요하다. 롱런의 비밀은 '퍼실리테이션'이다.

　무거운 짐을 혼자 들면 버겁지만, 함께 들면 무겁지 않다. (전4:12) 교사들과 함께 짊어지면 된다. 교사들은 전문적으로 예배학을 공부한 사람이 아니다보니 예전이나 성경적 지식에서는 사역자와 비견될 수 없다. 사역자는 더욱이 '퍼실리테이터'가 되어야 한다. 예배의 전문가가 퍼실리테이터가 되어 예배를 사모하는 건설적인 교사들과 퍼실리테이션을 진행하는 상상을 해 보라! 순식간에 주춧돌이 놓이고 기둥이 세워질 것이다. 건물 하나가 완성되는 것은 시간문제이다. 필자는 앞서 말한 부분의 필요성과 성과를 기대하며 이번의 퍼실리테이션을 진행하였다.

　다음의 사례는 사역자가 퍼실리테이터가 되고 부서 교사들과 함께 퍼실리테이션을 진행한 내용이다. 청소년부서의 추수 감사 주일 예배의 기획을 위한 퍼실리테이션을 진행하며 다음과 같은 성과가 있음을 밝히는 바이다.

*회의 과정으로 본 퍼실리테이션 실제 사례

목적 : 청소년부 추수감사주일 예배 기획하기
결과 : 추수감사주일 2부 순서 실천 방안 (땡큐 트리 만들기)
시간 : 1시간 20분
장소 : 교회 청소년 교사실

1.인사와 안내
-소 요 시 간 : 10분
-내　　　용: 회의 안내와 퍼실리테이터의 소개 회의 그라운드 룰 소개, 전체 순서 안내
-도구와 기법: 전체 순서안내 그라운드 룰 소개

1)참석자: 6명 (진행자 제외)
2)인사: 진행자의 간단한 소개와 본 회의에 앞서 취지와 목적을 설명. "돌아오는 추수 감사 주일에 어떤 모습의 예배를 기획 하는 게 좋을지 함께 고민해 보려고 합니다."
3)그라운드 룰 정하기: 원활한 의견 수렴과 대화를 위해 몇 가지의 그라운드 룰을 정하였다.
첫째, 어떤 의견이든지 나온 의견에 부정 언어 사용하지 않기. (판단이나 비판)
둘째, 진행자 외에 발언자의 대화를 끊지 않기
셋째, 질문을 할 때 또는 의견이 필요할 때, 한 사람이 한 번씩은 반드시 의견을 낼 것
넷째, 원활한 진행을 위해 핸드폰 사용은 금지할 것

2.라포 형성

-소 요 시 간 : 15분

-내   용 :   진진가를 통해 서로의 대해 알아가는 시간 갖기. 참여
자 한 명씩 돌아가며 듣기

-도구와 기법: 진진가 / (볼트체가 거짓)

1)진진가에 대한 간단한 설명을 하고 진행자 기준 시계방향으로 돌아
가며 5분의 시간을 주어 정보를 적게 하였고 함께 나누었다.

A:

1)나는 반려 견을 4마리 키운다.

2)나는 비행기를 타본 적이 없다.

3)나는 유럽에서 태어났다.

B:

1)나는 특수부대 출신이다.

2)나의 기상 시간은 5시다.

3)나는 학창시절 전교 10등에 들어 본 적이 있다.

C:

1)나는 아기를 싫어한다.

2)나는 올해 들어 병원에 간 적이 한 번도 없다.

3)나는 퇴직하고 싶다.

D:

1)나는 전과가 있다.

2)나는 첫사랑과 결혼했다.

3)성지순례 다녀 온 적이 있다.

E:

1)공주에(충남) 땅이 많은 땅 부자다.

2)어릴 적 너무 가난해서 3일을 굶은 적이 있다.

3)장래 희망으로 가수가 되고 싶었다.

F:

1)나는 전과가 있다.

2)철인3종 경기에 참여한 적 있다.

3)이화여대 졸업생이다.

한 명이 발표를 하면, 나머지 다섯 명이 거짓일 것 같은 이야기의 넘버를 외치며 모두가 함께 참여했다. 서로가 이미 알고 있는 사이지만 이 시간만큼은 서로가 서로를 더욱 잘 알아가려고 하는 의지를 갖고 참여한다. 그만큼 의미 있는 시간이다.

3.의견 나눔 및 수렴과 발표

-소 요 시 간 : 30분

-내   용 : 어떤 예배를 드리면 좋을까? 마음껏 브레인스토밍하기, 나온 의견을 서로 나눠보고 비슷한 것 끼리 그룹핑 하기

-도구와 기법: 브레인스토밍, 기록하기, 정리하여 발표하기

1)회의 목적을 다시금 설명하고 본격적인 회의 진행함.

2) "돌아오는 추수 감사 주일, 어떤 예배를 드리는 게 좋을지 의견을

주십시오.”

3)브레인스토밍에 대한 간단한 설명 이후 펜과 종이를 나눠준 뒤 자유롭게 의견을 나눠달라고 하였다.

4)의견 수렴 초반에는 눈에 띄는 아이디어나 이렇다 할 새로운 이야기가 없었다. 아래는 나왔던 의견들 중 정리가 된 몇 가지다.

a.추수 감사절의 의미를 알 수 있는 예배를 드리자,

b.우리 지역은 추수하는 문화가 아닌데, 다른 이름의 감사 예배를 드리면 좋겠다.

c.설교는 목사님의 영역이니, 2부 순서로 감사의 초점을 맞춘 활동을 하는 것이 좋겠다.

d.한 해 동안 감사했던 사람들에게 손편지를 적어 보내자.

e.추수를 영적 의미로 해석하자

f.앞에 의견을 받아 추수는 하나님이 우리로 하여금 걷게 하신 것인데, 받은 것에 감사하며 누군가에게 베풀 수 있는 시간으로 사용하자.

g.감사 찬양 집회

h.감사의 고백을 할 수 있는 시간이 있으면 좋겠다.

i.감사의 제목들을 서로 발표하거나, 모두가 볼 수 있도록 몇 주 정도 게시하는 것은 어떨까?

j.가을 단풍을 생각하면서 감사 나무라는 제목으로 나무를 만들고 낙엽은 감사의 종이로 꾸미는 것은 어떨까?

k.나무를 어디서 구해야 하나?

l.성경 드라마 같은 것을 ‘감사’ 주제로 교사들이 하는 것은 어떨까?

(이때 그라운드 룰을 어기는 부정 언어들이 오고 갔으나 참여자중 한 사람이 그라운드 룰에 대한 발언을 하였다. 진행자의 개입 없이 그라운드 룰의 긍정 효과가 나타났다.)

5)그룹으로 묶기 (그룹은 총 4개로 하여)

A:기존에 진행했던 방식
B:새로운 아이디어인 것
C:새로우면서 의미도 있는 것
D:실천 방안은 아니지만 나왔던 의견으로 묶을 수 있었다.

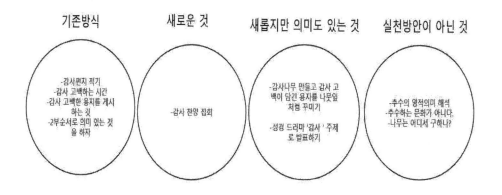

6)그룹으로 묶으며 자연스럽게 의견 정리가 되어 발표하는 시간을 따로 갖지 않았다.

4.실천하기
-소 요 시 간 : 20분
-내   용: 우리에게 무엇이 중요한가요?(우선순위) -> 우리가 실천 할 수 있는 일은? -> 의견내기 -> 우선순위 정하기 -> 탐색하기 -> 다음 실행 -> 후속회의 합의
도구와 기법: 다중투표

1)수렴된 의견을 놓고 지금 당장 우리가 할 수 있는 일이 무엇인지 나눠보니, 그룹핑 된 것들 중 두 가지 의견으로 좁혀졌다. A.감사 나무 만들기, B.성경 드라마 진행하기 둘 중 의미도 있으며 실제로 실천 가능한 것이 무엇인지를 다중투표를 하였다. 6표 전부 A.감사 나무 만들기를 선택함.

2)감사 나무 만들기를 위한 실천 방안에 대한 의견을 나누고 정리된 것.
(1)뼈대가 되는 나무는 인테리어에 쓰이는 '인공나무' 라는 것을 판매하기에 구매하여 사용.
(2)너무 크지 않은 것으로 하여 혹시라도 나뭇잎 (감사고백)이 부족하여 비어 보이는 일이 없도록 하자.
(3)나뭇잎도 (감사 용지) 제작하지 말고 구매하여 사용.
(4)추수감사주일 1주 전 나뭇잎을 학생들에게 나눠주어 (감사 용지) 감사 제목을 적고 다시 수거하여 코팅을 함.
(5)추수감사주일 당일에 코팅된 나뭇잎을 나무에 옮기는 것으로 감사의 고백을 하며 감사 나무를 완성함

5.돌아보기
-소 요 시 간 : 10분
-내   용: 오늘의 목적과 결과물 돌아보기
-도구와 기법: 정리된 내용 발표

1)모임의 목적은 '추수감사 주일 예배 기획' 이었으나, 회의의 결과 '추수감사 주일 2부 순서 실천 방안' 이 되었다.
2)마지막으로 정리된 내용들을 한 번 더 설명하며 이러한 결과 도출이

합리적이며 민주적이었음을 이야기하였다.

6.마무리 및 소감

-소 요 시 간 : 5분

-내   용: 전체 내용을 돌아보고 각자 소감을 나눔

-도구와 기법: 돌아가면서 이야기 나누되 처음 사람이 다음 사람을 지목하기.

1)오늘 회의가 어떠하였는가를 물으니 다양한 의견이 나왔다. 아래는 6인의 의견을 정리한 것이다.

a.시간이 굉장히 오래 걸린 것 같다.

b.마음 놓고 내 의견을 말 할 수 있어서 좋았다.

c. '진진가' 시간이 기억에 많이 남아서 좋았다. 공동체와 더욱 가까워진 것 같다.

d.진행자가 의견을 내지 않아서 색다른 경험이었다.

e.내가 말한 의견이 채택되어 기분이 좋다. 이런 회의 방식이 재미있는 것 같다.

f.역동적인 시간이었다.

2)기도로 회의를 마치다.

*청소년부 교사와 나눈 퍼실리테이션 후기

사람과 사람 사이에는 보이지 않는 벽이 있다. 고유의 성격이나 어릴 적부터 쌓아온 가치관이 그 벽들을 더욱 단단하게 만든다. 벽을 허무는 것은 어려운 일이다. 그러나 벽을 넘는 다리를 놓으면 문제는 해결된다. 퍼실리테이션은 사람과 사람의 마음을 이어주는 다리다.

이번 청소년부서의 교사들과 나눈 퍼실리테이션은 다시금 이 다리의 역할이 얼마나 소중한지를 깨닫는 시간이었다. 서로 간의 의견이 상이할 때도 있지만 다리가 있기에 조심스레 건너가 볼 수 있었다. 퍼실리테이션은 사람과 사람의 만남이기 때문에 회의 도구 이상의 가치가 있다. 특히 이미 서로가 알고 있는 조직에서 퍼실리테이션은 역동적이면서도 창조적인 힘을 보여주었다. 이번 퍼실리테이션의 사례는 하루 행사의 기획안을 만드는 것에 그쳤지만 회의의 주제와 목적에 따라 어떠한 형태이든지 결과물을 창출할 수 있다.

퍼실리테이션은 시작이 반이다. 시작하면 어떤 상황에서도 건설적인 결과가 창출된다. 이것을 믿고 퍼실리테이션이 주는 건설적인 즐거움에 동참해 보길 바라본다.

〈페루 잉카의 후예들, 산 로렌소 청소년들의 마을 공동체를 위한 봉사 계획 세우기〉

현경숙

태양의 아들 잉카의 후예인 페루인들은 잉카 제국의 찬란했던 문명에 대한 자긍심이 대단하다. 콜럼버스 이전 아메리카에서 가장 광대한 제국을 건설하였던 고대 잉카인들의 문화는 창의적이고 예술적이었을 뿐만 아니라 뛰어난 과학 기술을 바탕으로 한 건축물과 도시 건설에서 위대한 업적들과 유산들을 남겼다. 그러나 1532년 스페인 정복자들에 의해 잉카 황제 아타우알파(Atahualpa)가 패하고 1824년 독립을 쟁취하기까지 292년의 스페인 식민 통치 기간 동안 찬란했던 잉카 고유의 문화적인 유산은 자취를 감추어 버리고 말았다.

1824년 독립한 이래, 200여년이 지난 지금도 능동적인 자세로 현실 문제를 해결하고자 적극적인 행동을 취하는 페루인을 만나는 것은 그리 쉬운 일이 아니다. 특별히 공교육의 낮은 교육 수준은 식민지 사관에 찌들어 있던 페루인들의 수동적인 사고방식을 깨트리고 자발적인 국민성을 이룩해 나가기 위해서는 턱없이 부족하게 보인다.

산 로렌소 지역은 페루의 수도인 대도시 리마의 외곽에 자리 잡고 있는 경제적으로 열악한 지역의 작은 마을이다. 지방에서 더 나은 삶을 찾아 떠나온 이주민들의 정착촌이다. 고산 지방, 정글 지방 그리고 해안가 지방 등 다양한 문화적 특색을 띤 정착민들이 모여 한 마을을 이루었기에 다양한 색채의 문화적 배경이 함께 공존하고 있다. 이런 다른 문화적 차이는 서로 간의 화합을 이루는데 큰 장애가 될 뿐만 아니라 갈등을 유발시키는 요인이 된다. 갈등이 발생했을 때 적극적인 개입으로 문제를 해결하고자 하기보다는 문제를 외면하고 회피하는 수동적인 모습을 취하는 모습을 자주 보게 된다. 그런 모습을 볼 때면 "좀 더 적극적으로 나선다면 좋을 텐데" 라는 안타까운 마음이 많이 들었다.

페루의 미래를 이끌어 나갈 다음 세대인 청소년들이 이 사회의 리더가 되기 위해서는   갈등 상황이나 현실 문제에 부딪혔을 때 적극적인 자세로 다른 사람들과의 소통을 통해   스스로 답을 찾아 대처해 갈 수 있는 능동적인 자세를 길러 나가야 한다.

 이와 같은 바람을 가지고 우리 교회 청소년들과 함께 '마을 공동체를 위한 봉사활동 계획 세우기' 에 퍼실리테이션 기법을 적용해 회의를 진행해 보고자 한다. 이번에 참여한 청소년들이 나와 다른 생각을 가진 사람들과 서로 소통하며 공동의 합의를 이끌어 내는 과정을 통해 적극적이며 자발적인 문제 해결 능력을 길러 나가기를 바란다. 더 나아가 우리 작은 공동체 안에 퍼실리테이션을 통해 나와 다른 의견에도 귀 기울일 줄 아는 건강한 소통 문화를 정착시켜 나가는 새로운 변화가 일어나기를 기대한다. 이를 통해 청소년들이 자신이 속한 마을 공동체를 향한 적극적인 관심을 가지게 되는 의미 있는 계기가 되리라 믿는다.

 1. **모임 방법**: 인터넷을 사용할 수 있는 중고등부 학생 7명이 참석하여 온라인 (Zoom) 상에서 회의를 진행하였다.
 2. **인사와 안내**:
 ①.   오늘의 회의의 동기와 목적에 대한 안내.
 ②.   회의 진행을 위한 그라운드 룰에 대한 합의.
 ③.   전체 순서에 대한 안내.

3. **라포 형성**: 아이스 브레이킹
(온 라인 상의 어색함을 해소하고 자기를 표현할 수 있는 편안함을 유지하기 위하여 2가지의 아이스 브레이킹을 하였다)

 ①.   종이 한장으로 '나의 책'을 만들어 4가지 질문에 답하게 하였다.
      '내가 가장 좋아하는 색' , '내가 가장 좋아하는 음식' ,

'여행 가보고 싶은 장소', '50세가 되었을 때 살고 싶은 곳은 어디인가?'

②. 반 고흐의 미술 작품 감상 및 나눔
- 반 고흐의 자연과 인물을 담은 작품을 3분 영상을 통해 보고 어떻게 느꼈는지 함께 나누었다.

4. 아이디어 모으기

①. 도입질문
  오늘 모임 소식을 들었을 때 어떤 마음이 들었나요?
②. 오늘의 회의 주제인 "산 로렌소 마을 공동체를 위한 청소년 그룹 봉사활동 계획 세우기"에 대한 소개하기.
③. 의견을 어떻게 나눌 것인지에 대한 합의
  a. 각 회원이 zoom채팅창에 자신의 의견 올리기.
  b. 먼저 의견을 낸 것에 중복하지 않도록 하며 새로운 아이디어를 추가하여 쓰기.
  c. 손을 들어 표한 후에 발언 하기
③. 주제에 대한 참가자들의 의견
  a. 마을 공터에서 놀고 있는 어린이들 대상으로 하나님의 나라에 대해 알려주자.
  b. 마을에 계신 노인들을 위한 봉사 활동- 노인회 모임에 가서 종이 접기나 만들기 등을 노인들에게 가르쳐 드림으로 노인들의 정신운동 발달에 도움이 되도록 하자.
  c. 마을의 나무를 키우고 자연 환경을 보호하는 것에 대한 홍보와 안내를 하자.
  d. 건강한 가족 세우기를 위해 가족 전체가 참여 할 수 있는 강연회나 워크샵을 진행하자.

e. 우리 지역사회가 보다 깨끗한 환경을 유지할 수 있도록 장려하기 위해 마을 공원 쓰레기를 줍거나 마을 곳곳에 재활용 쓰레기통을 설치하는 운동을 벌이자.

f. 청소년 범죄를 예방하기 위해 밤에 길거리를 배회하고 있는 청소년들을 위한 강연을 준비하자.

g. 방과 후 어린이 공부방을 다시 시작하여 공부에 어려움이 있는 아이들을 돌봐 주자.

5. 휴식 - 10분 간 휴식

휴식하는 동안에 회원들이 볼 수 있도록 제안된 의견 리스트를 zoom 화면 위에 띄어 놓음.

6. 활동 분류- 이름 붙이기.

①. 분류하여 제목 정하기 (Gruping Naming) -제안된 7가지 활동을 분류하고 이름 붙이기

a. 어린이들을 위한 봉사
- 마을 공터에서 놀고 있는 어린이들 대상으로 하나님의 나라에 대해 알려주자.
-방과 후 어린이 공부방을 다시 시작하여 공부에 어려움이 있는 아이들을 돌봐 주자.

b. 청소년 그룹을 위한 봉사
- 청소년 범죄를 예방하기 위해 밤에 길거리를 배회하고 있는 청소년들을 위한 강연을 준비하자.

c. 마을 어르신들 위한 봉사

 -마을에 계신 노인들을 위한 봉사 활동- 노인회 모임에 가서 종이 접기나 만들기 등을 노인들에게 가르쳐 드림으로 노인들의 정신운동 발달에 도움이 되도록 하자.

d. 가족 단위 그룹을 위한 봉사

 - 건강한 가족 세우기를 위해 가족 전체가 참여할 수 있는 강연회나 워크샵을 진행하자.

e. 마을의 깨끗한 환경을 위한 봉사

 - 마을의 나무를 키우고 자연 환경을 보호하는 것에 대한 홍보와 안내를 하자.
 - 우리 지역사회가 보다 깨끗한 환경을 유지할 수 있도록 장려하기 위해 마을 공원 쓰레기를 줍거나 마을 곳곳에 재활용 쓰레기통을 설치하는 운동을 벌이자.

②. 실현 가능한 봉사 활동에 대한 검토 시간을 가졌다. (15분)

7. 마을 공동체를 위해 중고등부 청소년이 할 수 있는 사항을 투표하여 선택하기
  우리 청소년 그룹이 할 수 있는 일은 무엇인가?
①. 전체 회원 투표하여 결정하기- 중고등부 부서 청소년들이 올 해 안에 할 수 있는 봉사 계획안을 선정하기.
②. 투표를 걸쳐 "마을 어르신들 위한 봉사 활동하기"를 결정하였다.

   [마을에 계신 노인들을 위한 봉사 활동- 노인회 모임에 가서 종

이 접기나 만들기 등을 노인들에게 가르쳐 드림으로 노인들의 정신운동 발달에 도움이 되도록 하자]

8. 결정된 사항을 실천하기 위한 후속 조치

a. 위원회 만들기- 중고등부 전체 회원에게 결과를 통보하고 위원회를 조성하기로 함.

b. 위원회 중심으로 실행 방안을 논의할 후속 모임을 계획하기.

c. 이 일을 실행하기 위한 아이디어 모으기.

①. 노인들에게 도움이 되는 더 많은 다양한 활동으로 계획을 세우자.

②. 노인 커뮤니티의 현황에 대한 정보 수집 목록을 작성하자.

③. 노인을 위한 활동 자료를 준비하자.

④. 노인회 일정을 알아보고 봉사 활동 일정을 구체적으로 계획하자.

⑤. 봉사 활동 계획에 더 많은 청소년이 참여하도록 초대하자.

⑥. 활동의 예:

1) 재미있는 작은 쇼. 예수님과 성경 인물 이야기 연극을 공연한다. (댄스, 연극, 만담 등)

2) 노인회 회원들과 함께 공예품을 만들거나 게임과 같은 활동을 한다.

3) 그분들의 어린 시절과 같은 다양한 주제에 대해 이야기하는 기회를 드려서, 그분들이 가지고 있는 다양한 일화를 들을 수 있는 기회를 마련하자.

4) 걷기 등의 활동 예: 공원 산책, 간단한 간식을 준비하여 함께 피크닉 가기.

9. 회의 마무리

(아래 3가지 질문들은 회의가 끝나기 전에 하였으나 시간이 많이 지체됨으로 회의를 마치고, 단체톡 방에 참가자들이 기록한 것을 수집하였다)

(一) 아이스 브레이킹에 대하여 느낀 점

a.자주 만나는 회원들이었지만 아이스 브레이킹을 통해 각자가 좋아하는 색깔이나 음식, 그리고 여행 가보고 싶은 곳과 50세에 살고 싶은 장소를 나누면서 같은 색깔을 좋아하는 사람, 같은 곳을 여행하고 싶은 사람들과 친밀감을 느끼게 되었다는 의견과 50세때에 살고 싶은 곳에 따라서 그 사람이 무엇을 원하는 지, 소원이 무엇인지에 대해서도 새롭게 알게 되었다는 피드백을 주었다.

b. 평상시 보지 못하는 미술 작품 감상을 하는 새로운 경험을 하게 되었고 작품을 감상하고 나서 자연물과 꽃 그림을 통해 마음이 평안함과 안정감을 느끼게 되었다. 그로인하여 주의 집중이 더 잘 되었다는 피드백을 나누었다.

(一) 회의를 하면서 느낀 점

a. Jhoselin - 개인적으로 공익을 위해 뭔가를 해야겠다는 생각은 늘 가지고 있었지만 결국엔 생각으로 그치고 말았던 일이 많았다. 여러 친구들과 함께 다른 사람들을 위해 무언가를 할 수 있다는 사실이 나를 기쁘게 한다. 사람들의 다양한 의견을 듣는 것도 중요하고 개인적으로 더 많은 지식도 더해졌다. 또한, 그토록 많은 삶을 살아왔고 존경과 관심을 받을 자격이 충분한 노인분들에게 재미뿐만 아니라 도움이 되는 일에 참여하는 것은 큰 의미가 있다.

b. Jairo - 무척 흥미로운 시간이었지만, 저는 직접 만나서 애기하는 것이 더 좋겠다.

c. Jhonar - 회의를 하는 내내 매우 즐거웠고 모두의 의견이 꽤 흥미롭다고 느꼈다.

d. Sheril - 이번 모임을 통해 각자 의견을 표현하는 것이 지역사회를 돕는 중요한 요소라는 것을 경험하게 되어 매우 기뻤다. 우리 사회의 이익을 위해 더 많은 봉사 활동 계획들을 계속해서 설정해 나가고 싶다.

e. Angie - 서로의 의견을 듣고 경청하면서 커뮤니티 개선을 위한 다양한 사항에 대해 이야기를 나누는 것이 아주 좋았다.

f. Astric - 우리 커뮤니티의 이익을 위해 하나의 목표를 달성하고 그 일부가 되기 위해 의견을 공유하고 서로 다른 생각들을 들을 수 있어서 매우 좋은 경험을 했다.

(3). 다음 회의를 위해 개선되어야 할 것들은 무엇이 있나요?

a. 우리의 아이디어가 마을의 발전을 위해 많은 기여를 하고 개선될 수 있게 하므로 의견을 제시할 때 부끄러워하지 말자.

b. 참가자들은 시간을 엄수하자.

(4) 오늘 회의를 진행한 '퍼실리테이터'에 대한 의견내기.

- 진행자는 오늘 회의를 어떻게 진행했나요?
- 중립성이 있었나요?
- 참가자들의 의견에 관심을 보였나요?
- 퍼실리테이터의 역할을 향상시키기 위해서는 어떤 면이 더 필요할까요?

a. 모임을 더욱 친근하게 하기 위하여 참석자들이 서로 알아가는 데 관심을 갖게 하고, 모든 회원들의 의견을 경청해주어서 매우 좋았다. 참가자들의 모든 의견이 커뮤니티 개선을 위해 중

요해 보였기 때문에 중립적인 자세로 들었다고 생각한다.

　　b. 이번 회의에서 퍼실리테이터의 역할에 대해 더 이상 언급할 것이 없이 잘 했다.

　　c. 진행자는 워크숍에 대한 가이드라인을 알려주었고, 참가자들의 의견과 아이디어에 관심을 갖고 경청하면서 매우 잘 하였다.

　이번 퍼실리테이션을 하면서 몇 가지 아쉬운 점이 있었다. 첫째, 처음으로 해 본 회의 진행이 온라인 공간에서 진행되었기에 퍼실리테이션의 장점을 세울 수 있는 퍼실리테이션 기법을 제대로 사용하지 못한 아쉬움이 있다. 둘째, 일부 회원들의 인터넷 사정이 약하여 말이 끊겼으며, 또는 핸드폰의 기계적인 문제로 인하여 소리가 너무 약하게 들리거나 한 템포 늦게 들리는 문제가 있었다. 셋째, 아이스 브레이킹을 했지만 현장에서 하는 것만큼 그룹의 역동을 살리기에는 어려움이 있었다. 넷째, 퍼실리테이터로서 자료 준비와 유료 계정 줌(zoom) 준비 등 사전 준비 과정에서 부족했음을 느꼈다.

　여러가지 열악한 상황에서도 참가자들의 피드백이 매우 긍정적이었던 것에 놀랐다. 그 동안에 이번 회의처럼 창의적이며 레크레이션이 가미된 회의를 경험해 보지 못한데에서 오는 새로움에 대한 찬사일 것이다. 회의 후에 참가자들의 피드백을 얻기 위한 여러가지 질문을 주었던 것이 잘한 점이다. 말로 표현할 때의 장점도 있지만 글을 쓸 때는 차분한 마음으로 생각을 정리 할 수 있는 유익이 있다. 회의가 끝나고 나서 긴장이 풀린 뒤에 하는 피드백에 참가자 모두가 더욱 진술하고 자유롭게 표현했다.

　보통의 회의 진행자들이 그룹이나 조직의 책임자인 관계로 암암리에 그들의 의도나 기획을 알아차린 참가자들이 개인의 의견을 내는 일에 소극적인 경향이 있음을 감안하면, 퍼실리테이션 기법으로 진행되는 회의에서는 어떠한 지시도 없고, 진행자의 의도와는 상관 없이 참가자들이 소신 있게 의견들을 자유롭게 발표할 수 있다는 장점이 눈에 띄게 드러났다. 그로 인해서 전에 생각 해 보지 못했던 새로운 의견들이 많았던 것이 매우 좋았던 점이다.

 이번 회의 중에 평상시 소심했던 청소년 참가자가 자신의 의견을 제시하고, 다른 의견에 대해서도 적극적인 피드백을 주는 등 자발적인 참여 모습에 우리 모두는 놀라움을 금치 못했다. 그의 새로운 면을 만나게 된 신나는 발견이었다. 우리 안에 잠재된 창의성은 자유로운 브레인스토밍을 거쳐 나올 때 파워풀하게 나온다는 것을 새삼 확인하였다. 이런 면에서 미술작품 감상은 참가자들의 정서적인 부분을 자극하여 새롭고 창의적인 생각을 하는 데에 좋은 영향을 끼쳤다고 할 수 있다. 앞으로도 창의성을 자극할 수 있는 아이스 브레이킹의 다양한 방법들을 모색해야 하겠다.

 끝으로 회의 진행자의 개입이 제한되면 될수록 참가자들의 능동적인 태도를 끌어낼 수 있다는 것을 발견하였다. 앞으로 우리 공동체 안에서 일어나는 크고 작은 회의에서 역량 있는 퍼실리테이터로서 중립적인 자세로 회의를 진행해 간다면 참가자들의 적극적이며 자발적인 참여를 이끌어 내는 유익을 얻을 것이다. 계속해서 청소년들에게 이와 같은 소통의 장을 마련해 줌으로써 자발적이며 창의적인 리더로서의 역량을 키워 나갈 수 있도록 도와야 하겠다.

<산 로렌소 마을 새 생명 교회 청소년 그룹과 함께>

　　남미 땅으로 보냄 받은 지 20년 차, 선교사로 17년을 페루인 들과 함께 살아오면서 느껴온 안타까운 마음을 모았다. 페루의 미래를 일구어 나갈 새로운 세대 세워가기에 희망을 두고 힘을 다해 일하고 있는 하나님 나라의 작은 청지기로 오늘도 한 발을 내딛고 있다.

코칭학과 내
독서동아리 활성화 하기

김은샘

"존귀한 자는
존귀한 일을 계획하나니

그는 항상
존귀한 일에 서리라
(이사야 32:8)"

경건과 학문을 목표로 하는 신학대학원에 코칭 학과가 지난해에 신설되었다. 교육과정과 여러 프로그램이 하나씩 체계화되며, 올해 처음으로 선. 후배를 맞이하게 된 코칭 학과 학생들은 과 내에, 독서 동아리를 개설해 줄 것을 건의했다. 온라인으로 수업에 참여하는 학교 특성상, 수업 시간 이외의 학우들과 만날 기회가 많지 않다 보니 동아리를 통한 만남은 더욱 간절하다. 하나님 나라 확장이라는 같은 목표를 꿈꾸는 세계 곳곳의 목회자, 선교사, 사역자와 평신도 학우들과 한자리에 모여 함께 공부하고, 현지의 생생한 사역 이야기를 나눌 수 있는 것은 그 자체만으로도 귀한 선물이다. 동아리 모집 광고가 나간 이후 여러 희망자가 모집되었다. 그 이후 우리는 독서 동아리의 출범과 그 첫 시작을 위하여 퍼실리테이션을 준비하게 되었다.

구하고, 찾고, 두드리라(마7:7-11)는 말씀처럼 퍼실리테이터는 모임의 촉진자로서, 구성원들이 함께 최선의 의사결정을 내릴 수 있도록 도와준다. 특별히 이번 모임에서는 독서 동아리에 참가하는 구성원이 사는 나라, 지역이 각자 다르기 때문에 사는 곳의 시차, 담당하는 사역을 고려하면서 앞으로 정기적으로 잘 참여할 수 있는 시간과 방법 및 운영 방향을 결정하는 것을 가장 우선적인 목적으로 정했다.

사전 준비
독서 동아리 총신청 인원이 5명인데, 참여국과 시간 차이는 다음과 같다.
:인도(-3시간 30분), 캐나다(-17시간), 미국(-17시간), 한국(한국시간 기준)
퍼실리테이션 실행을 위해 일주일 전, 단체대화방을 개설하고 투표를 통해 전원이 참석할 수 있는 시간을 정했다.

실행

5명과 함께 온라인(ZOOM)을 이용하여 2시간 동안 실시했다.

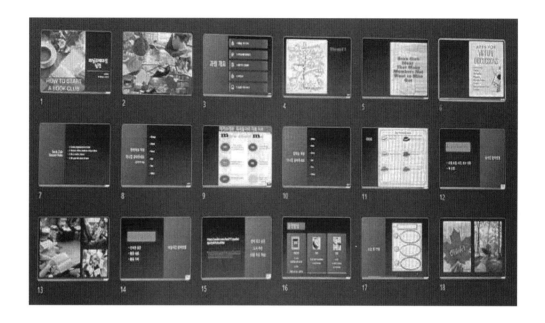

참여와 기록 방법

그룹 카톡, 줌 채팅, 패드릿 동시 참여

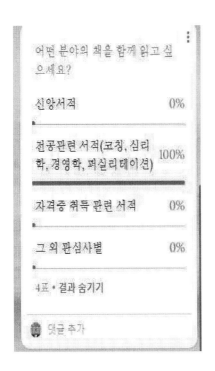

실제 진행 과정

1. 인사

"독서동아리에 오신 것을 환영합니다." 온라인을 통해 처음 만나는 분들과 반갑게 인사한다.

2. 자기소개

독서하는 모습이 담겨있는 명화 중에서 '나는 주로 어디에서 책 읽는 것을 좋아하는 지' 나와 닮은 작품을 고른다.

3. 라포형성

  그래픽 그림을 보면서 '내가 생각하는 나는 어떤 사람일까요? 하고 잠시 나를 돌아보는 시간을 갖는다, 매일 주어진 일에 최선을 다하며 살아가고 있는 우리들, 우리는 무엇에 가치를 두며 살아가고 있을까요? 내가 그러한 사람이라는 것을 말하고 나니 어떤 마음이 드시나요? 등 질문을 모두에게 하면서 내가 바라보는 나 자신을 사람들에게 소개하고 서로를 알아가는 시간을 갖는다.

4. 그라운드 룰

  서로 돌아가면서 독서 동아리에 필요한 그라운드 룰을 정하는데, 의견이 같거나 비슷한 경우 다중 투표를 통해 가장 많이 선택받은 것으로 정한다.

① 정해진 제시간에 시작하고 끝마친다.

② 서로의 의견을 존중한다.

③ 적극적으로 경청한다.

④ 공평하게 업무를 분담한다.

이 외에 '책을 읽고 오지 않았어도 (비난받지 않고) 참석할 수 있다'라는 의견도 환영받으며 모두 5가지의 그라운드 룰이 완성되었다.

5. 독서동아리 지원 동기

브레인스토밍으로 서로가 동아리에 지원한 이유와 기대감, 목표를 자유롭게 토론한다.

6. 동아리 운영 방안

합의 형성기법(Consensus Workshop Method)을 통해 동아리를 잘 활성화할 방안을 정하고

우선순위를 탐색하며 온라인 여건에서 효과적으로 참여할 방법, 운영 기간, 참여 가능 시간,

후속 모임 활동을 결정한다.

7. 희망 도서 분야

방향성 조사: 독서 동아리에서 읽고 싶은 도서 분야를 패들릿을 이용해 설문조사에 참여하고

작성한 결과를 바로 확인한다. (전공 관련도서가 선정됨)

8. 정기모임 기간과 회수

토의를 거쳐 학기 중 시험일정과 방학 또는 개강일 등을 고려하여 우선적으로 현재의 시스템대로 학기말까지 시범적으로 운영하기로 한다.

9. 참여소감

브레인 라이팅으로 패들릿에 오늘 참여하면서 느낀 점, 깨달은 점 등
소감과 앞으로 기대하는 것들을 자유롭게 기록한다.

10. 마무리

후속 모임에 필요한 시간 선정, 도서 선정 등을 위해 안내한다.

퍼실리테이션의 활용 효과

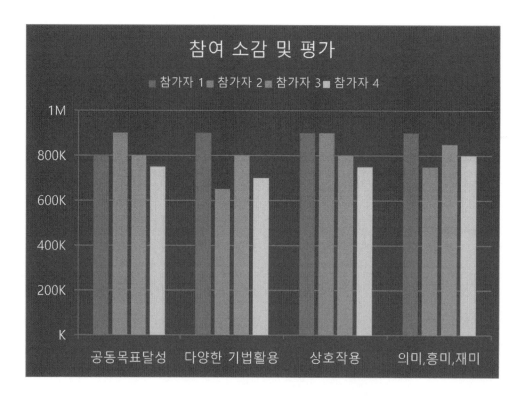

1) 공동목표 달성

 대학원 동아리를 온라인으로 참여하려면, 여러 나라에 사는 학우들의 시차를 고려하고 모두가 잘 참석할 수 있는 운영 방안을 꼭 찾아야 했다. 다 같이 모이는 것이 쉽지 않기 때문에, 주어진 시간을 최대한 활용하면서 결정할 사항들이 여러 가지였다. 퍼실리테이션으로 진행했기 때문에 모두의 의견을 수렴하면서도 운영 방법, 가능 시간, 희망 도서 추천, 기한 등 선택에 많은 시간을 소요할 수 있는 안건을 약속한 시간 내에 정할 수 있었다.

2) 다양한 기법 활용

 아이스브레이킹, 브레인스토밍, 브레인라이팅, 패들릿 작성, 다중 투표, 설문조사, 합의 형성 기법 등을 사용했다. 우선 사전 SNS로 소통하면서, 참여 가능 시간과 참여 날짜 공지 등 제시간에 참석할 수 있게 미리 확인 연락을 했고, 기법에 대한 준비를 한 덕분에 온라인 환경에서 사용할 수 있는 기법의 제한이 있었지만 시간 내에 효율적으로 진행했다.

3) 상호작용

 라포 형성의 중요성을 다시 한번 느끼는 시간이었다. 이 시간을 통해 처음 얼굴을 보며 인사하는 학우들이 있었기 때문에 아이스브레이킹을 통해 편안하게 서로를 알아가고, 처음 접하는 기법들을 같이 배워나가는 즐거움이 있었다. 공평하게 돌아가는 참여를 통해 순서마다 시간 가는 줄 모를 정도로 몰입되었고 나눔에도 풍성한 시간이 되었다.

4) 의미, 흥미, 재미

 처음에는 퍼실리테이션을 온라인으로 하는 것이 '과연 잘 될까' 하고
고민이 많았다. 그러나 여러 사람과 새로운 기법들을 하나씩 사용해
보고, 설문 조사나 패들릿처럼 결과를 궁금하게 하고 바로 확인할 수
있는 도구들이 과정의 즐거움을 더해 주었다. 한 사람도 소외되지 않
게 모든 사람의 의견을 반영하고, 자신의 의견을 표현할 때도 문자언
어와 음성언어 중 자신에게 더욱 편한 것을 번갈아 사용하게 되니 발
표의 부담에서 벗어나 자신의 의견을 전달하며 지루할 새 없이 즐겁게
참여할 수 있었다. 그 덕분에 약속 한 시간 안에 다양한 의견을 수용
하면서도 유용한 결과를 끌어낼 수 있었다.

온라인 퍼실리테이션 설계시 고려사항

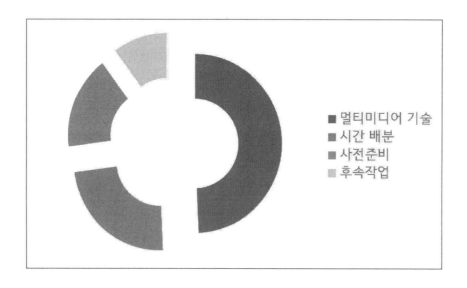

1) 멀티미디어 기술

온라인으로 진행되는 퍼실리테이션의 경우 참여자와 퍼실리테이터가 양·방향 모두 원활하게 소통할 수 있도록 퍼실리테이터가 퍼실리테이션 기법뿐만이 아니라 기계를 다루는 기술과 준비도 철저해야 한다. 사전 연습과 준비를 통해 주어진 시간 안에 가능한 활동인지 기술적인 사항에 대처하고 참여자들도 기법의 내용뿐만이 아니라 기술을 잘 사용할 수 있도록 안내가 되어야 한다. 이를 위해 참여자가 멀티미디어 기술을 어느 정도 숙지하고 있는지 파악하는 것이 좋다. 혹시 부족하거나 어려워하는 것이 있다면 원활한 모임 운영을 위해 참여하기 전에 필요한 것이 마련되어야 하기 때문이다.

2) 시간 배분

타임 키퍼 역할을 할 수 있는 사람이 있거나 도구를 활용한다면, 구성원 중에서 한 개인이 발언을 독점하는 것을 예방할 수 있다. 또한 전체가 참여하는 분위기를 조성하며, 시간 안에 의사를 전달하는 훈련이 되고, 예상 시간 안에 진행되도록 돕는다.

3) 사전 준비

계획한 기법들의 소요 시간을 예측하고, 진행에 미처 생각하지 못한 일들이 발생할 수 있는 것을 대비해 본다. 준비한 것을 다 하지 못하더라도 목적에 맞는 활동이 이루어질 수 있도록

단계 마다 다양하게 시뮬레이션을 해 본다. 최선을 다해 준비하되, 기대 이상의 결과가 나오는 것이 바로 집단지성의 힘, 퍼실리테이션의 매력이다.

4) 후속 작업

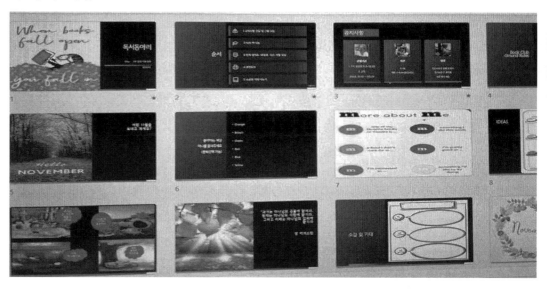

"기법이나 기술보다 앞서는 것은 퍼실리테이터의 인격" 이라고 강의해 주신 교수님의 말씀을 생각하며 구성원들에게 진정으로 도움이 되는 시간이 되게 해달라고 준비하는 동안 기도했고 그래서인지 기대했던 것 보다도 훨씬 즐겁고 재미있었고, 과제에 대한 생각을 잊고 참여할 수 있었다. 나중에 참여자들로부터 받은 소감들은, 준비를 정말 많이 해주셔서 유익한 시간을 보냈다, 존중받고 배려받는 기분이 들었다. 편안하고 자유롭게 애기 나누는 시간이었다, 서로에 대해서 미처 몰랐던 것들까지 많이 알 수 있는 시간이었다, 이 멤버들과 함께 앞으로 동아리 할 것을 생각하니 더 기대된다는 등의 피드백을 받았다.

이 시간을 통해서, 계획한 목표와 결과를 얻으려고 조급하지 않고, 각 사람을 소중히 여기며 그들의 필요와 성장에 귀 기울이고 마음마저 돌보는 마음을 갖게 되었다. 이 퍼실리테이션이라는 멋진 도구가 사람들과 함께 가지만 멀리 가게하고, 멀리 가면서도 빨리 도달하며 빨리 가면서도 옳은 길로 갈 수 있게 해주기 때문이다. 앞으로도 퍼실리테이션이 교회, 소모임, 학교, 사회 등 공감, 소통, 협업이 필요한 곳마다 더욱 많이 쓰이길 바란다.

뜨거운 감자를 위한
콜라보 협업

박윤희

태초에 하나님이 천지를 창조하시니라(창1:1)

하나님은 세상을 말씀으로 창조하시고 코에 하나님의 생기를 불어 넣으사 생령이 된 인간은 보시기에 심히 좋았고, 마지막 피날레 걸작품인 우리 인간에게 하나님은 이 아름다운 세상을 선물로 주셨다. 완전한 하나님이 창조하신 생명이된 인간은 모두 창조적이며 탁월하고 소중한 존재이다. 창조주 하나님께서도 삼위일체로 운행하셨듯이 피조물된 우리도 혼자 살지 못하고 함께 살아가야 하는 인간이다.

하나님의 소원, 하나님을 사랑하며 네 이웃을 네 몸 같이 사랑하라 하신 말씀을 묵상하니 인간된 우리가 서로 사랑하며 사는 삶은 이 세상에 사는 우리에게 참으로 복된 삶인 것이다. 함께 화합, 화평이 곧 사랑으로 이어지고, 사랑안에 모든 감정들이 희색 되어져서 관계에 완성을 이루게 된다.

우리들은 모두 개인으로써 독립된 인간이지만, 혼자 살 수 없고 우리라는 울타리 안에서 함께 살아 간다. 개인으로 우리 모두 작게는 가정에서 교회에서 더 나아가 사회에서 리더로 섬기며 공동체 안에서 살아 간다. 즉, 하나님이 세상을 창조하시고 신묘막측한 걸작품 인간을 창조하매 생령이 된 인간은 소중한 존재이기에 서로 사랑하며 함께 살아 간다. 공동체 안에서 모두들 리더로 서로 섬기고 한 사람이 모여 가정이 만들어지고 나라가 생기고 세상이 이루는 한 생명은 소중하다.

인간과 인간의 불통으로 인한 고민은 크기에 상관없이 모두에게 중요한 문제이다. 소중한 존재로 인간은 각자의 자리에서 모두 리더이기에 서로 소통한다. 각자의 창의성 탁월성을 존중하며, 모든 문제를 콜라보 협업하여 새로운 합작으로 완성품이라는 문제의 해결책 결과를 만들어 낸다면 우리는 더 행복한 세상을 만들어 갈 것이다.

소통을 위하여 많은 도구중 퍼실리테이션(그룹이 잘하도록 돕는 것)

이라는 것을 나누어 보려고 한다. 마이클 윌킨슨과 주현희 퍼실리테이션의 설명에 의하면 퍼실리테이션은 동기부여자, 안내자, 질문자, 가교자 (bridge builder), 투시자, 중재자, 감독자, 칭찬자, 기록자

9가지 역할을 감당한다고 한다.

거룩한 하나님 나라를 위하여 너무나도 마땅히 당연하게 해야만 하지만, 가장 어려운 문제 전도를 올려놓고 서로의 마음을 나누는 장을 펼쳐보려 한다. 거창하지는 않지만 이 모임에서 퍼실리테이터로서의 나의 마음 가짐을 셋팅해보게 된다.

함께 해준 사람들의 창조성과 탁월성을 믿어주고 인정해주며 중립적인 입장에서 온 몸과 마음을 열고 경청을 함으로 이 모임에서 가고자 하는 곳 목적지로 갈 수 있도록 이끌어 줄 것이다. 전도라는 뜨거운 감자를 실행하고자 하는 동기가 부여되는 과정을 만들어 서로에게 집단 지성의 힘을 느끼게 해주고 싶다.

목적: 뜨거운 감자 맛있게 먹는 방법 나누기

결과: 새로운 마음으로 전도하기

시간: 1 시간 30 분

장소: 나오미 사무실

1. 퍼실리테이션 디자인

이 모임의 목적과 목표를 달성 할 수 있도록 흐름을 기획하고 처음부터 끝까지 전 과정을 상세하게 설계한다. 참석자들이 최선의 대안을

찾을 수 있도록 어떤 길을 제시할지 상상하며 결과는 정해져 있지만 우리들만의 최선의 방법을 찾는다.

-배경: 어느덧 9월의 낙엽을 바라보니 남은 3개월을 잘 정리하여 2023년 송구영신 예배 드릴 때 아쉬운 마음, 후회하는 마음을 갖지 않도록 지금 우리 팀의 영적 모습을 재정비 하고픈 마음. 하나님께 드릴 가장 좋은 선물 한 영혼 전도하기

나아가 5년 후 자신의 모습을 꿈꾸며 주님 안에서 소명 찾아보기

- 목적: 한 해 자신을 되돌아보며, 영적, 육적으로 재정비하며

한 영혼을 소중히 여기고 전도하는 마음을 다시 일으킨다.

- 토의 주제: 한 영혼 전도하기.

- 성취할 목표: 전도하는 방법 검토, 재정비하며 새로운 방법 찾아 실행하기

- 참석자: 집사님들 4명

   2. 퍼실리테이션 설계

-산출물 무엇을 얻을 것인가?

예수님의 십자가 사랑을 생각하면, 그 사랑에 감사하여 한 영혼을 귀하게 여기며 영혼 구원 전도하는 일에 집중하게 된다. 당연한 것이 아닌, 우리 안에 예수님 첫 사랑을 회복하여 서로 기쁨을 나누고 영혼을 소생케 하는 성령님의 임재를 사모한다.

-참석자 누가 관여해야 하는가? 그들의 관점은 무엇일까?

세상적인 회의가 아니기에, 마지막 꼭 참석해야 할 분은 성령님의 임재이다.

참석자들에게는 너무나 오래전부터 당연한 문제이기에 안주하는 모습에 빠질 수 있다.

새 부대에 새 술을 넣듯 새로운 믿음의 모습을 찾을 수 있도록, 새로운 관점에서 불 수 있도록 모든 준비에 있어 새로움을 더한다.

-잠재 문제. 어떤 우려가 생길 것 같은가? 목적을 달성하는데 방해가 되는 것들은 무엇인가?

믿음 생활의 오래된 자로써, 참석자들은 전도가 중요성을 잘 알고 있다. 많은 실패를 경험 했기에 의기 소침해져 있다. 나만 잘 믿으면 된다는 안일함에 빠져 있다.

가사일과 아이들 돌보는 일로 ○○의 엄마, 아내로써 나란 존재에 대해서는 잊고 있다.

3. 현장 준비

"프로세스는 논리적으로 기법은 촉진으로 매체 감성적으로"

퍼실리테이터는 기존에 있는 또는 맞춤 질문으로 논리 있게 뼈대를 만들고, 답변은 촉진하는 매체와 기법을 통해 참석자가 주도적으로 답을 찾고 실행하게 하는 '소통 디자이너'이다. 중요한 것은 회의를 진행하는데 앞서 준비하는 설계이다. 방해받지 않는 공간 확보 , 현장을 둘러보며 자리를 셋팅하는 것이 가장 기본적인 일이다.

-정보 자료 배치: 아이스 브레이킹 할 자료 준비

-토의 도구 배치: 사무실 섭외 테이블 셋팅

-기자재 점검등 : 다과 준비, a4 용지, 포스트잇, 필기구,

4. 오프닝-몰입의 기반 만들기

- 아이스 브레이킹

* A4 용지로 자기 소개하기:

A4 용지를 접어 6면으로 책 모양을 만들어 질문 6가지를 준비한다. 그 질문을 한 면에 한 개씩 적어 돌아가며 발표한다. 질문은 지극히 사적이고 개인적인 질문으로써, 서로 친분이 있는 오래된 관계이지만 사적인 질문을 통해 자신에 대해 발표하며 자신도 되돌아 보며, 타인의 새로운 생각과 모르는 부분을 알게 되는 시간이다.

* 5년후의 자신 바라보기:

2023년 송구 영신 예배 때를 상상하며, 그때 가장 아쉬운 마음을 상상해 보며 지금의 내가 무엇을 하면 아쉰 마음을 최소화 할지 생각해 보며 기록한다.

그리고 5년후 자신의 모습을 그려보며, 5년후 내가 있고 싶은 자리, 위치, 상태를 적고, 이런 미래의 모습을 위해 준비해야 할 것을 상상하며 적는다.

- 기대 사항 점검

내 안에 잠자고 있던 나의 소망을 그려보며 나를 찾는다.

나는 소중한 존재이고 나를 사랑하는 마음을 깨닫게 한다.

전도는 하나님 앞에서 나를 위한 선물임을 안다.

이미 자신 마음속에 있는 전도의 불씨에 불을 지핀다.

전도가 나에게 어떤 의미인지 나눈다.

예수님 사랑을 생각하며, 그 사랑 받은 자녀로써 사랑을 전하며 표현하는 방식으로 전도를 하도록 이끌어 준다.

전도 방법을 다각도로 바라보게 한다.

- 참여규칙 설정

*그라운드 룰 정하기:

다른 사람이 발표 할 때 집중해서 들어주기

발표후 박수로 격려해주기

1 인 1 개 발표하기

발표자와 눈을 맞춘다

발표는 2분을 넘기지 않는다

5. 본 토의

-브레인스토밍으로 생각을 열어준다.

-질문:

2023 년 송구영신 예배 때 가장 아쉬워 할 것은 무엇일까?

아쉬워 하지 않기 위하여 지금 할 수 있는 최선의 방법은 ?

내가 지금 가장 원하는 것은?

하나님께 가장 드리고 싶은 선물은?

내가 영혼구원을 위해 할 수 있는 방법은?

나의 신앙생활중 (예배,교제,기도, 말씀, 전도,섬김중)가장 강한 부분은?

나의 신앙생활중 가장 약한 부분은 무엇인가?

그것을 어떻게 보완할 수 있는가?

하나님이 나에게 가장 원하시는 일, 기뻐하시는 일은 무엇일까?

그중에 전도를 택하여 전도하는 방법 나누기

전도란 나에게 무슨 의미가 있는가?

나의 믿음의 행위는 무엇인가?

전도하는 방법을 찾아본다.

-분류 앤 분석:

전도하는 방법을 찾고 포스트 잇에 적어서 분류 한다.

-의사 결정:

포스트 잇에서 나온 내용을 분석한 후 정리하며 의사를 반영한다.

6. 클로징(실행의 기반 만들기)

-토의 과정 회고:

나왔던 방법들 중 중복되는 내용을 정리한다.

-결정 사항 요약:

 5 가지 방법으로 좁힌 내용을 서로 나누며 자신의 방법들을

보완한다.

-이후 조치 안내:

자신에게 새로운 방법들을 적용하고 정리해서 발표한다.

-소감 나누기:

나에 대해서 알게 되고 타인의 다른 모습도 보는 시간이다.

나의 미래를 상상하며 나를 찾는 시간이다.

우리라는 공동체를 경험하는 시간이다.

서로 기도로 중보해주는 협력자 임을 다시 깨닫는 시간이다.

새로운 실천 방법들을 나눈다.

함께 실천 사항들을 정리하며 체계적인 전도 방법으로 전도대상자에

게 접근하여서 중간 점검, 체크를 통해서 전도를 지속적으로 이어 나

가도록 서로 응원한다.

함께 좋은 합을 향하여 나아가며 서로 격려,지지, 응원 해주는 시간이

다. 회의를 통해 전도를 새로운 관점에서 바라보며 준비하는 시간이

다.

- 이름 정하기:

"노아 방주 프로젝트" 영혼을 구원하는 방주의 의미로 정하였다.

7. 회의 결과 "노아 방주 프로젝트"

-함께 나눈 전도 대상자 이름을 놓고, 매일 그 사람의 이름을 불러주며 기도해 주기

-전도 대상자에게 한달에 한번은 작은 선물로 마음을 전한다.

-일주일에 한번은 전화로 안부를 묻는다.

-2 주에 한번은 식사나 차를 함께 마신다.

-중간 점검을 한다.

전도는 믿음 생활 중 가장 중요한 것 중에 하나이지만, 오랜 신앙생활을 한 사람에게 전도는 시간이 지날수록 뜨거운 감자처럼 불편한 진실이 되어 버렸다. 이 전도를 퍼실리테이션이라는 도구로 다른 각도로 접근하며 안일했던 마음을 정리해보는 유익한 시간이었다.

우리 팀은 거의 10년 넘게 한 교회에서 함께 신앙 생활을 해왔기에 편안한 관계로써 서로에 대해 거의 다 알고 있는 사이라고 생각했다. 아이스 브레이킹을 하며 나도 모르는 자신의 생각을 보게 되고 이야기하게 되었다. 자신도 알게 되고 타인도 보게 되며 서로에 대해 더 알아가는 시간이었다.

나의 현재 모습에서 미래를 상상하고 나아가서 미래 5년 후의 모습을 바라보게 되었다. 자신의 생각을 글로 정리하면서, 나의 입술로 나의 미래를 축복하는 시간이 좋았다.

퍼실리테이션이라는 도구는 전도를 다른 각도로 바라보며 접근하기에 좋은 기회가 되었다. 전도라는 당연한 의무와 선택의 모습에서 우리는 선택을 택하는 시간이 였다.균형 잡힌 신앙생활에서 꼭 필요한 부분인　전도를 회의에 노출하여서 더 친근하게 다가가며 한 마음이 되어 하나를 향해 나아가는 팀의 에너지가 기분이 좋았다.

　무엇보다 진행 전 준비 단계가 중요한 것임을 깨달았다. 퍼실리테이터로써 처음 진행하는 거라 부족한 부분이 많았기에 기록자의 모습이 좀 약하였고, 1시간 30분의 시간이 너무 빠르게 지나갔다. 당연한 것은 없다. 퍼실리테이터는 선함을 향하여 모두 합을 이루기 위한 목적이 있기에 팀원들을 믿어주며 그들과 의견을 나누다 보면 생각지도 못한 최선의 합을 준비하게 된다.

　사람과의 관계에서 소통은 중요하고 퍼실리테이션은 소통하기 위한 좋은 도구임에 확신 한다.

'코칭 실습 동아리 운영'을 위한 실행방안 찾기

최성연

＊1차 퍼실리테이션 회의＊

캘리포니아에 소재하고 있는 신학대학교 코칭 전문 석사 과정(MAPC)에 있는 학생으로서 함께 공부하는 같은 학과 학우들끼리 실습을 위한 동아리를 구상하였고, 이를 위한 지원자를 모집하였다. 지원한 학우들과 함께 "코칭 실습 동아리"를 어떻게 운영할 것인지에 대한 실행 방안을 찾고자 퍼실테이션을 활용해 1시간 30분정도 소요하여 회의를 진행하였다. 퍼실리테이션의 대상은 전문 코칭학과 학생들이며 코칭학과 내에서 '코칭 실습 동아리 운영'을 목적으로 퍼실리테이션 프로세스를 설계하였다. 온라인으로 줌 화상 회의를 진행함으로써 "실행 방안 찾기"에 대한 결과물들을 도출해낼 수 있었다.

실제 퍼실리테이션 프로세스로 진행된 회의 내용을 적어 보았다.

1. 인사와 순서 안내하기, 회의 그라운드 룰 정하기

퍼실리테이션을 위해 준비한 줌으로 연결하여 서로 반갑게 인사를 나누고 안부를 물으며 다른 참석자들을 기다리는 시간을 가졌다.
오늘 회의를 위해 준비한 PPT를 띄워서 5분 정도 퍼실리테이터를 소개하고 회의의 목적과 전체 순서를 소개했다.

그 다음 5분정도 "회의를 위한 그라운드 룰"을 2개 이상씩 각자 패들릿에 적어 보았다. 내용으로는 "시간 준수하기, 미참석시 문자로 알려주기, 시작 전 착석하기, 발언은 3분 이내로 하기, 영상은 1분이상 끄지 않기, 전화기 잠시 꺼놓기, 끝과 시작 기도하기, 함께하는 시간 즐기기, 반대의견에 대해서는 그 의견에 장점을 얘기한 후 자신의 의견 말하기, 다른 사람의 의견 존중하고 결정되었을 때 인정하기 등"의 의견으로 정리되었다.

2.라포 형성하기(아이스 브레이킹 게임)

이제 25분 정도 할애하여 라포 형성을 위한 아이스 브레이킹 게임을 시작했다.

우선 먼저 기본 소개로써 자기 이름과 별명과 그 이유를 말하고, 실습 동아리에 대한 기대를 나눴다. 나름 친분이 있는 학우들이었지만 별명까진 알지 못했는데 어린시절 혹은 앞으로 불리고 싶은 코치 애칭까지 다양하게 알게 되었다.

'실습 동아리에 품고 온 기대는 무엇인가?' 라는 질문에는 각자 구두로 답했는데 "소속감, 동기의 힘, 평생, 길동무, 마음의 벗, 보화, 만나도 만나도 새로운 친구, 입문하는 코칭을 학우들과 함께 배울 수 있는 기회 등"의 답변이 나왔으며 동아리에 대해 여러 다양한 기대하는 마음들을 읽을 수 있었다.

자기소개는 A4용지를 시간 관계상 8쪽이 아닌 4쪽 페이지 책으로 만들어 4가지 질문에 대한 답을 적어 보고 그 중에 한가지는 거짓으로

적으면 나머지 참가자들이 거짓을 맞추는 게임이었다.

4가지 진진진가 질문에는 "1. 나를 설명하는 3가지 단어를 적어보세요 2.가장 좋았던 칭찬은 무엇인가요? 3.나만의 특별한 경험이나 비밀이 있나요? 4.내가 행복을 느낄 때는 언제인가요?"였고 이때 생각하고 적는 시간에는 좋아하는 찬양을 틀어서 분위기를 따뜻하게 만들었다. 이 게임으로 인해 학우들을 더 깊이 있게 알게 되었고 거짓을 맞추는 흥미있는 게임을 통해 더욱 친근해지는 시간을 가졌다.

3. 고려 사항과 기준 정하기

25분 동안 고려 사항과 기준 정하기를 위해 "의견 발산"의 시간을 가졌다. 실습 동아리에 대해서 무엇을 결정해야 하는지에 대한 의견을 내고 그 의견들을 가지고 실행 방안들을 분류하고 어떤 것들을 결정해야 하는지 리스트를 정했다. 이 때 합의형성기법 (CWM: Consensus Workshop Method)을 사용했고 툴로는 패들릿을 활용했다.

"합의형성기법"은 모든 구성원들이 해결을 바라는 공동 주제에 대한 합의를 향해서 그 그룹이 움직일 수 있도록 참여적이고 상호 배려적인 방법을 통해 촉진하는 과정이다.

여러 실행 방안들에 대한 의견이 나왔고, 나온 의견들을 가지고 그룹 핑(grouping)을 통해서 7가지 실행방안 논의 리스트로 분류하였고 그 사항에 적절한 이름(naming)을 붙였다.

1)모임 방식: 일정한 요일과 시간에 함께 모였다가 그날 모임 참석 자들을 인원에 맞게   준 소회의실로 나누는 방법/각자 파트너와 날짜와 시간을 정하는 방법/파트너 바꾸는 방법

2) 소그룹 결정 방식: 만약 소그룹으로 나눈다면 2인 3조/ 3인 2조

3) 모임 적정 시간(전체 모임 시간/코칭 실습시간): 시작모임(대회 의실)+ 코칭   실습(소회의실)+ 마무리 모임(대회의실:생략 가능)/시간배분 문제

4) 동아리 지속 기간: 1년씩/1학기씩

5) 진행 방식: 동아리장/진행자

6) 모이는 횟수: 일주일에 1번

7) 기타 건의 사항: 퍼실리테이션 실습과 그룹 코칭 실습 시도

4.발표하고 의견 나누기

위에서 제시된 논의 사항들에 대해서 10분 동안 각자 자유롭게 의견을 발표하고 서로 토의하며 공감대를 형성해 갔다.

5.투표하기

위에 나눈 의견들을 토대로 각자 생각을 정리하며, 리스트로 만든 실 행방안들을 가지고

사항별로 10분 동안 "다수결의 원칙"을 활용해서 투표를 시행하였다. "의견
수렴" 단계로 투표 결과를 발표하고 상세한 사항은 패들릿에 각자 차후에 남기기로 하였다.
그리고 시간이 더 필요한 사항들은 후속 회의 때 다시 논의하기로 합의하였다.

결정된 내용은 다음과 같다.
1) 모임 방식: 일정한 요일과 시간에 함께 모였다가 그날 모인 참석자들을 인원에 맞게   소회의실로
나눠 실습하기
2) 모이는 날짜와 시간은 차후에 패들릿에 올려서 함께 펼쳐놓고 의논하기
3) 모임 적정 시간(전체 모임 시간/실습 실행 시간)차후에 결정하기
4) 동아리는 이번 학기까지 시범적으로 해보기
5) 진행 방식은 동아리장을 선출한후 진행자와 분리할지를 결정하기
6) 모이는 횟수는 일주일에 1번
7) 퍼실리테이션 실습과 그룹 코칭 실습도 해보기
8) 후속 회의 날짜와 시간은 차후에 패들릿에 올리기(논의사항: 동아리명, 동아리장,   모임 적정 시간, 동아리 그라운드 룰...)

6. 돌아보기

이제 5분 동안 돌아보는 시간을 가짐으로써 오늘의 목적과 앞에서 결의된 결과물을 다시 한번 정리해 보았다. 오늘 회의의 목적인 "코칭 실습 동아리 운영을 위한 실행방안 찾기"에 충실하게 회의가 진행되었으며 알맞은 결과물이 도출되었는지 점검하는 시간을 가졌다.

7. 마무리 및 소감 나누기

　마지막 남은 5분 동안 각자 참여 소감을 나누며 마무리했다.
퍼실리테이션 프로세스로 진행된 회의를 경험한 소감으로는 "아이스 브레이킹 게임에서 학우들에 대해 어느 정도 알고 있다고 생각했는데 진진진가 게임을 통해서 더 많이 나눌 수 있어서 좋았다, 온라인이라는 제한적 상황에서도 의견이 잘 수렴되어 합의가 되어서 좋았다, 실습에 대한 바램을 나눌 수 있어서 좋았다, 첫 퍼실리테이션을 위해 고민하면서 여러모로 준비한 결과 다음 회의를 위한 발판을 마련할 수 있는 계기가 되었다, 광범위한 목표 아래 큰 줄기를 결정해서 큰 수확이 있었다…"는 의견이었고 차후에 패들릿에 소감을 각자 적어서 남기기로 했다.

　첫 퍼실리테이터를 경험해 보면서 부족한 부분도 있었지만 그 안에서 긍정적인 부분과 다양한 가능성을 보았다. 또한 다시 한번 퍼실리테이션의 유용성과 실용성을 실감하며 이 도구야 말로 앞뒤 좌우에 어디에나 장착해 놓고 적재적소에 맞게 꺼내 써야 하는 기법이란 확신이 들었다.

　처음 시작하는 도입부에서 실습에 대한 각자의 기대를 나눔으로써 서로가 중요시하는 가치를 알 수 있어서 좋았다.
아울러, 참가자들이 회의의 포문을 여는 라포 형성 단계에서 나눈 "자기를 소개하는 4가지 질문"과 "진진진가 게임"을 섞어서 만든 새로운 아이스 브레이킹 게임을 무척 신선하다고 느꼈다. 그리고 다른 사람의 소개를 흘려듣지 않고 좀 더 귀 기울여 듣게 되고 거짓을 찾아내는 퀴즈가 함께 곁들여져 흥미를 유발시키기에 충분했다.
　모든 멤버들의 적극적인 참여로 여러 가지 실행방안 중에서 가장 어려운 과제였던 모임 방식을 정할 수 있어서 의미 있는 회의였다. 또한 의견 발표에 다소 소극적이었던 학우가 열심히 발표할 수 있는 "안전한 공간"을 마련하게 되어 뜻깊은 시간이 되었다.

온라인으로 진행되다 보니 현장에서의 예기치 못한 돌발상황으로 연결이 매끄럽지 못 할때도 있었지만 한편으로는 온라인이라서 개인적인 수다나 잡담이 없이 오롯이 집중하고 경청할 수 있는 장점도 있었다. 온라인상에선 대면 현장에서처럼 몸을 움직이며 서로를 탐색하고 관찰하는 갤러리 워크나 역동적인 게임을 할 수 없어서 아쉬웠지만, 앞으로 좀 더 새롭고 창의적인 온라인 아이스 브레이킹 게임이나 툴이 개발된다면 오히려 테크놀로지의 발전으로 인해 무궁무진한 세계가 펼쳐질 수 있겠다는 기대가 생겼다.

퍼실리테이션은 우리가 속한 가장 작은 공동체인 가정에서부터 교회, 선교지, 학교, 공공기관, 기업 등 많은 장소에서 아주 유용하게 쓰일 수 있는 도구이며 이를 계속적으로 발전시키고 활용한다면 이젠 더 이상 회의나 워크숍을 지루하다거나 진부해서 피하고 싶다고 치부하지 못할 것이다.
퍼실리테이션의 활용은 그 공동체나 회의, 워크샵의 다양한 역동과 갈등을 오히려 긍정의 에너지로 전환시킬수 있는 극적인 기회가 될 수도 있다. 특히나 크리스천으로서 정체성을 지닌 크리스천 퍼실리테리터가 활약한다면 칭찬과 격려의 언어속에서 감사와 존중이 있기 때문에 더욱 밝고 따뜻해 질것이다.

참석자들이 우수한 결과물을 만들어갈 것을 신뢰하며 회의가 그들의 것이 되도록 개입을 최소화시키며 인내하며 중립을 지키는 것이야 말로 퍼실리테이터에게 가장 필요한 태도이다. 그러나 실제 경험해보니 개입하고자 하는 욕구를 조절하는 것, 편견없이 모든 의견을 존중하는 태도를 갖는다는 것이 현실적으로 쉽지만은 않음을 느끼게 된다.

참여자 한사람 한사람이 조직이나 공동체를 이뤄가는 한 조각이 아니라, 주님의 형상을 닮은 한 인격체로 존중될때 그 잠재력이 발현되고, 그 조직이나 공동체는 생명력을 갖게 되며 행복한 발전을 경험하게 될 것이다.

2차 퍼실리테이션 후속 모임

"실습 동아리 운영을 위한 실행방안 찾기"라는 같은 주제를 가지고 후속 회의를 진행하였다. 대상은 1차 회의 때 함께한 신학교 전문 코칭 석사 과정의 학우들로 같은 참가자이며, 방식도 지난번과 같이 온라인 줌을 사용하여 1시간 30분동안 화상 회의를 진행하였다.

1.인사와 순서 안내하기, 동아리 그라운드 룰 정하기

학우들과 함께 줌으로 모여 근황을 나누며 인사했고 5분 정도 이번 회의의 진행 순서와 회의 안건을 PPT로 간단하게 소개했다.

지난번에는 회의를 위한 그라운드를 정했다면 이번에는 5분 정도 "동아리를 위한 그라운드 룰"을 정하기로 했다.

내용으로는 "상대와 하는 실습인 관계로 시간 꼭 지키기, 늦거나 참석하지 못 할 경우 미리 알려주기, 미리 착석하기, 실습에서 나온 이야기는 비밀 유지하기, 소회의실에서 마치고 대회의실로 오는 시간 지키기, 후속 모임까지 잘 참석하기, 전화기 잠시 꺼놓기, 서로 배려하기, 실습 시간 즐기기 등" 다양한 의견들이 나왔다.

2.라포 형성하기(아이스 브레이킹)

아이스 브레이킹으로는 25분정도 예상하며 ORID기법을 활용하였다.

"티보잉 문화"라는 YouTube 영상을 함께 시청하고 서로 각자 O R I D기법으로 시청 소감을 나누었다.

이 기법은 어떤 작품이나 영상을 보고 4단계로 Objective(정보, 지각)- Reflective(느낌, 반응)-Interpretive(해석, 판단)-Decisional(결론, 결정)로 나누어 표현할수 있다.

"팀 티보이"라는 풋볼 선수가 어떻게 하나님을 자랑하고 복음을 전하는지에 대해서 시청하고 '그렇다면 나는 어떻게 주님께 영광을 돌릴 수 있을까?'를 생각해 보고 나누는 시간이었다.

그 영상의 내용은 이러하다. 무릎 꿇고 기도하는 제스처가 세계 곳곳에서 챌린지처럼 번져 나갔고 그 풋볼 선수의 이름을 딴 "티보잉 문화"까지 생기게 되었다. 풋볼 경기시 눈밑에 붙이는 아이 패치에 성경구절을 적어 요한복음 3:16절을 세상에 알리게 되었고 우연처럼 보였던 316 숫자를 통해 세상 사람들은 하나님의 존재를 궁굼해하기 시작하였다. 그는 이렇게 주님을 자기 방식대로 알리며 주님께 영광을 올려 드렸다.

이 영상을 시청하고 나눈 내용으로는 "크리스천 유명인사들의 선한 영향력을 통해 주님의 나라를 알리면 좋을 것이다. 자신이 서있는 위치에서 삶으로 예수님을 전한다면 금상첨화일 것이다. 칼빈의 예정론을 배우고 있는데, 구원받은 사람이 예수님을 믿는 것은 하나님께서 태초부터 선택해 주셨기 때문이며 그러므로 하나님의 은혜에 감사하지 않을 수 없다. 때를 얻든지 못 얻든지 복음을 전해야 한다. 코칭을 통해서 피코치로 하여금 예수님을 만나게 하는 사명을 다시 한번 다짐하는 시간이었다. 코칭할 때 성령님께 의지하고 하나님을 증거한다면 고객이 자신의 삶을 간증할 수 있을 것이다 등" 학우들의 내면의 생각을 나눌 수 있는 귀한 시간이었다.

3.1차 회의 결정 사항 리뷰하기

5분 정도 지난 회의 결정사항을 리뷰하며 이번회의 때 논의할 사항에 대해 정리해보았다. 우선 지난 번 결정한 모임 방식 "일정한 요일과 시간에 함께 모였다가 그날 모인 참석자들을 인원에 맞게 소회의실로 나누어 실습하기"를 근간으로 나머지 사항들을 정하기로 하였다.

4.논의하기

대략 30분정도 할애하여 각 사항에 대해 의논하며 서로 자유롭게 의견을 발산하였다.
논의할 사항은 다음과 같다.
  1)동아리 이름 정하기
  2)동아리장 정하기/역할 분담 하기
  3)모임 적정 시간 정하기(전체 모임 시간/코칭 실습 시간)
  4)진행 방법 정하기(매주/매달 후속 모임)
  5)기타: 코칭 일지, 일광 시간 절약제, 줌 소그룹
  6)회기 정하기

😊MAPC 실습 동아리 이름 공모👻👻

복수선택 · 익명투표

11월 9일 오후 9:40 종료

✓ 예닮미코(예수님을닮아가는미   3명
  장신코칭)

라파엘(Raphael)   0명

✓ 마티아(Matthias)   3명

✓ 눈치코치   2명

I'm yours   1명

늘품(앞으로좋게발전할가능성)   0명

✓ 다온(모든좋은일들이들어온다   1명
)

✓ HiFy(Here I'm ForYou)   4명   6)회기 정하기

하이포유(Here I'm ForYou)   1명

5.투표하기

앞에서 논의한 사항들을 항목별로 15분동안 투표를 시행하여 "다수결의 원칙"으로 결정하였다.

1)동아리 이름은 차후에 카톡으로 후보들을 보충해서   더 올려주었다.
*후보명: 예닮미코, 라파엘, 마티아, 눈치코치,
I'm yours, 늘품, 다온, HiFy, 하이포유...
최종 이름은 차후에 카톡에서 다득점을 차지한 3가지 이름을 가지고

재투표로 결정하기로 합의하였다.

2)동아리장은 대표 역할로 정하고, 진행은 가나다순으로 정해서 순서대로 돌아가며 진행하기로 결정했다.

3), 4)모임 적정 시간은 라포 20분+ 실습과 피드백(1인당 40분씩 2인80분)+

마무리 20분= 120분으로 결정되었다

5)코칭일지는 각자 기록하고, 일광 시간 절약제 해제로 시작 시간을 30분 조절하기로 합의하였고, 유료 줌 사용을 위해 섬겨 주실 분께 감사의 박수를 보내드렸다.

6)이번 학기 내 회기는 1:1 코칭은 3회/ 그룹코칭 1회/ 퍼실리테이션 1회 / 샌드박스 코칭은 추후에 결정하기로 결론지었다.

6.돌아보기 및 소감으로 마무리하기

마지막 10분 동안 앞에서 결정된 사항을 정리해서 발표하고 참여한 소감을 나누며 마무리했다.

그 내용으로 "첫 번째 회의에 이어 후속 모임으로 다시 만나니 더 반갑고 즐겁고 풍성하고 유익했다, 함께할 실습이 기대된다, 우리의 만남 속에서 함께하시며 새 일을 행하실 하나님을 기대한다, 학우님들과의 만남의 축복이 귀하다, 만남을 통해서 이루어 갈 것을 기대해 본다, 이 시간을 통해서 퍼실리테이션과 그룹 코칭을 함께 할 수 있는 기회가 있어서 설렌다, 예수님의 마음을 시원하게 하는 동아리가 되자 등"으로 후속 회의는 훈훈한 분위기로 마무리 되었다.

오늘 두번째 퍼실리테이션을 통해 회의를 진행함으로써 "아! 퍼실리테이션이 이런 거구나!" 감을 조금씩 잡아가며 몸소 느끼게 되었다. 교수님을 통해 처음 퍼실리테이션을 접하던 그 때의 신선한 충격이 떠올랐다. "코칭"이란 신세계를 접할 때의 느낌과 비슷했다.

지교회 여선교회 회장을 넘어 교단의 노회장, 나아가 교단의 여선교회 연합회 회장이 되면서 경험했던 많은 회의와 모임들이 있었고, 지교회의 소그룹 리더와 여러 부서의 리더의 직분을 이행하며 겪었던 일들이 주마등처럼 지나갔다. '아~ 예전에 조금만 빨리 이 퍼실리테이션을 만났더라면... 내가 맡은 자리에서 좀 더 좋은 역할과 나의 사명을 더 잘 수행하지 않았을까?' 하는 아쉬움에 젖었다.

하지만 사실, 지금이라도 알게 해주셔서 감사한 마음이 더 크다. 앞으로 이 귀하고 빛나는 퍼실리테이션이라는 도구를 맘껏 많이 사용해 볼 생각이다. 퍼실리테이션을 접하면서 나에게 맞춤형의 새로운 무기가 생긴 것 같아 신이 나는 이유는 무엇일까?
또한 라포 형성의 대표 주자격인 ORID 기법을 사용해 봄으로써 또 하나의 신무기를 장착한 느낌이 들어 뿌듯했다. 나에게 영감을 주었던 그림이나 영상을 나눔으로써 참가자들의 생각과 가치관, 존재까지도 나눌 수 있는 참으로 유용한 기법이라 생각된다.

오늘 회의에서 자유롭고 다양한 의견 발산이 좋았고 분위기를 한껏 고조시켰다. 동아리 이름으로 다채롭고 예쁜 이름들이 후보로 나왔고 그를 위해 열심으로 찾아오고 기발한 아이디어를 내준 학우들에게 감사한 마음을 전한다. 단연 학우들에게 고마운 게 이뿐이겠냐 만은 함께 만들어 가는 집단 지성의 힘과 배움을 경험하는 소중한 시간들이었다.

숨은 의도와 내면의 흐름까지 경청하며, 중립적인 언어로 질문하며, 참가자들의 의견 발산을 인내하고 격려하며, 선입견 없이 있는 그대로

의 존재를 받아들이고, 무한한 잠재력을 믿어주고, 화기애애한 분위기로 주도하며, 적재적소에 개입하여 의견을 수렴하고, 탁월한 직관과 통찰력으로 통합하고... 이것이 바로 내가 바라는 멋진 퍼실리테이터의 모습이다.

그곳에 성령님이 함께 하시고 퍼실리테이터가 크리스천으로서의 정체성을 지니고 있다면, 우리는 하나님이 기쁘게 사용하시는 멋진 "퍼실리테이터" 라는 도구가 될 수 있을 것이다. 이제 막 첫발을 디딘 크리스천 퍼실리테이터로서 내가 머무는 자리는 가정, 교회, 직장, 학교, 공동체 등 어느 장소가 되든지 간에 크리스천 리더로서의 역할을 잘 감당하고 하나님께 영광을 드러내는 자리가 되길 소망한다.

"여호와를 경외하는 것이 지혜의 근본이요   거룩하신 자를 아는 것이 명철이니라"   (잠9:10)

리트릿(retreat)으로 풀어보는 퍼실리테이션

: 모두를 위한 리트릿 식사 메뉴 선정하기

박금남

"보라 형제가 연합하여 동거함이
어찌 그리 선하고 아름다운고 "(시편 133:1)

How good and pleasant it is when God's people
live together in unity! (Psalm 133:1)

캐나다에서는 부활절과 추수감사절이 법정 공휴일이다. 길게는 금요일부터 그 다음 주 월요일까지 4일의 연휴(long weekend)를 누릴 수 있다. 우리 교회에서는 매년 부활절과 추수감사절 때마다 근교에 나가서 2박 3일 또는 3박 4일 일정의 리트릿(retreat)을 해왔다. 잠시 며칠 동안 일상에서 물러나 조용히 홀로 또 함께 하나님의 은혜에 머무는 시간을 가졌다. 매해 부활절에는 강이나 호수에 나가 세례식을 했다. 교회 성도들이 모두 흰색으로 드레스코드(dress code)를 맞추어서 세례의 현장에 증인이 되었다. 한 사람이 예수님을 믿고 세례를 받는 현장에 함께 하는 감격과 기쁨은 이루다 말할 수 없다. 캐나다의 추수감사절은 한국의 추석 명절과 같다. 기독교인이 아닐지라도 온 가족이 모여서 추수감사절 대표음식인 칠면조 요리를 먹으며 즐거운 시간을 보낸다. 우리 교회의 성도는 90% 이상이 캐나다에 와서 예수님을 믿게 된 청년들이다. 유학생 또는 가족을 떠나 홀로 캐나다에서 사는 20대 직장인들이다. 우리 교회에서는 추수감사절 연휴에 리트릿을 가서 교회 가족 공동체로서 함께 감사하는 기쁨의 시간을 가져왔다.

올해도 추수감사절을 맞이하여 밴쿠버 인근 섬으로 3박 4일 일정의 리트릿을 가기로 하였다. 주로 통나무집(lodge), 캐빈(cabin) 등과 같은 취사시설이 구비되어 있는 숙소에서 리트릿을 가져왔기에 리트릿 참가자들은 조별로 나뉘어져 한 끼씩 식사 요리를 담당했었다. 조별 요리 활동은 교회식구들을 위한 섬김의 기쁨을 누리게 함과 동시에 조원끼리 더욱 친해지게 한다는 장점이 있다. 그동안은 리트릿을 가기 1-2주 전에 참가자들을 조별로 나누고 조별 회의를 통해 식사 메뉴를 선정했었다. 그런데 요리를 잘하는 몇몇 사람의 주도하에 그(들)이 잘하는 음식으로 메뉴가 선정되고, 요리를 잘 못하는 다른 조원들은 그저 소극적으로 따르는 경우가 있었다. 이러한 현상은 메뉴 선정 때뿐 아니라 실제 요리를 할 때에도 비슷하게 나옴을 볼 수 있었다.

또한 자기 주장이 좀 강한 사람, 특히 그 사람이 조 내에서 연장자일 경우에는 더더욱 그 사람 위주로 메뉴가 선정되기도 하였다. 그러다 보니 일의 분배나 음식 기호가 한쪽으로 치우치게 되어서, 힘들어하거나 불편한 마음을 가지는 사람도 생겨 났다. 어떤 음식의 경우에는 다른 조 사람들이 별로 안 좋아하거나 먹지 못하는 음식재료가 들어있었다. 메뉴 선정 시에 리트릿 참가자 전체의 식성이 고려되지 않았기 때문이었다. 각 조당 한 끼의 음식 예산비를 미리 알려주었음에도 지출이 초과되는 바람에 해당 조에서 추가 부담을 해야 하는 경우도 있었다.

올해에는 리트릿에 참석하는 12명의 청년들을 대상으로 워크숍을 하게 되었다. '모두'를 위한 식사 메뉴를 선정하는 것이 목적이다. 워크숍의 첫 번째 의미는 모두가 먹을 수 있는 식사 메뉴를 선정하는 것이다. 두 번째 의미는 각 조별로 조원 모두의 적극 참여 속에서 '협업'의 즐거움과 하나됨을 느끼게 할 수 있는 식사 메뉴를 선정하는 것이다.

> 목적: 리트릿에 참석하는 '모두'를 위한 식사 메뉴를 선정하기
> 결과: 토요일 점심, 주일 점심, 주일 저녁을 위해 각 조별로 한 끼 식사 메뉴 선정하기
> 시간: 1시간 30분
> 장소: 목사님 댁

[오프닝] 인사와 안내 (10분)

"워크숍에 오신 모든 분들을 환영합니다!"

참석자 한 사람 한 사람과 눈을 마주치며 ·따뜻한 미소와 함께 환영의 인사를 하였다. 참석자들이 이미 지난 주에 한 번 리트릿 활동 선정 워크숍을 경험했던 지라 모두들 지난 주보다는 좀 더 편안해진 얼굴들이었다. 본격적으로 시작하기에 앞서 지난 주에 이어 두 번째 워크숍에 참석하는 지금의 기분이 어떤지를 짧게 돌아가며 나누었다.

"벌써부터 재밌다", "오늘도 기대가 된다", "편안하다", "재밌을 거 같다" 등등의 이야기들을 들을 수 있었다. 워크숍을 하게 된 배경과 목적에 대해 안내하였다. 그 동안의 리트릿 경험이 있는 몇몇 참석자들이 고개를 끄덕이는 것을 볼 수 있었다. 그리고 그라운드 룰(ground rule)을 정하였다.

- 워크숍 동안 휴대전화 보지 않기
- 장난치지 않기
- 다른 사람이 말할 때 눈과 귀로 경청하기
- 중간에 말 끊지 않기
- 비판하거나 딴지 걸지 않기

워크숍의 아젠다(agenda)를 화이트보드 한 쪽에 간략하게 적으면서 안내하였다.

[세션 1] 라포형성 - 조편성 및 조별 게임 (20분)

단어조합게임으로 참석자들을 3개의 조로 나누면서 아이스브레이킹(icebreaking)하는 시간을 가졌다. 모든 참석자들을 원 모양으로 모여 앉게 한 다음, 그들의 등에 각각 다른 단어가 적혀진 스티커를 붙여주었다. 자기 등에 붙여진 단어와 공통된 의미의 단어들을 가진 사람들을 찾아서 그룹을 만들라고 하였다. 참석자들은 자신의 등에 붙어있는 단어가 무엇인지 알기 위해서 옆 사람에게 도움을 구했다. 여기저기 돌아다니면서 만나는 사람들에게 단어를 물어보았다. 공통된 의미를 유추하면서 하나 둘씩 모여 그룹이 만들어져 갔다. 모두들 호기심을 가지고 적극적으로 게임에 참여하는 것을 볼 수 있었다. 4명으로 이루어진 총 3개의 조가 형성되었다. 이 가운데서 교회에 나온 지 몇 주 되지 않은 새 신자들은 삼위일체 하나님의 이름과 예수님 제자들의 이름을 자연스레 알게 되었다.

[하나님 조]   성부 - 성자 - 성령 - 하나님

[제자 조]   베드로 - 안드레 - 야고보 - 빌립

[교회 조]   오직 - 예수 - 장로 - 교회

조별로 단체 사진을 찍었다. 조원들이 단어조합의 순서대로 단어 스티커를 손에 들고서 각자 개성을 뽐내며 포즈를 취하였다. 사진을 모두 찍은 후에는 커다란 테이블에 조별로 둘러 앉았다. 조별 대항 **끝말잇기 게임**을 하며 2차 아이스브레이킹을 하였다. 워크숍의 주제가 식사 메뉴 선정이었기 때문에, 끝말잇기의 마지막 단어는 음식의 단어로 말해야 하는 규칙을 제시하였다.

"꿍스꿍스꿍스~   쿵쿵따리   쿵쿵따~   쿵쿵따리   쿵쿵따~ 마지막에는 음식이름 대기!"

꿍꿍따 특유의 동작과 함께 리듬을 타면서 끝말잇기를 했다. 여기저기서 웃음이 터져 나왔다. 게임을 하는 사람도 보는 사람도 모두 즐거워했다. 조별 게임을 통해 조의 단합이 일어나고 전체 분위기가 더욱 부드러워짐을 볼 수 있었다.

[세션 2] 사전 합의하기 (10분)

워크숍의 첫 번째 목적을 위해, 알레르기(allergy) 또는 음식 민감성을 일으키거나 리트릿 참석자(들)이 싫어하는 음식 재료를 **라운드 방식**으로 나누었다. 나온 음식 재료 리스트를 화이트보드에 기록하여서 모두가 볼 수 있게 하였다. "꼬막, 생 토마토, 오이, 갑각류, 샐러리, 신라면 기준으로 하여 그보다 매운 것, 콜리플라워(cauliflower)"가 나왔다.

워크숍의 또 다른 목적인 각 조별로 모두의 적극 참여 속에서 '협업'의 즐거움과 하나됨을 느낄 수 있게 하는 식사 메뉴를 선정하기 위하여 이에 적합한 기준을 세웠다. 먼저 기준에 대한 참석자들의 이해를 높이는데 도움을 주기 위해서, 하나의 예로서 '한 끼 예산이 성인 10불을 기준으로 하여 총145불 이내'라는 기준을 제시하여 주었다. 이후 각자가 생각하기에 필요한 기준들을 **자유발언 방식**으로 자유롭게 말하였다. 나오는 음식의 기준들은 모두 화이트보드에 기록하였다. 침묵이 길게 흐를 때에는 "리트릿의 전체 스케줄을 고려한다면 어떤 기준이 좋을까요?", "지난 리트릿에서 아쉬웠던 점을 생각해 본다면 어떤 기준을 추가하면 좋을까요?" 등의 질문을 하여서 참석자들의 생각을 촉진하였다. 총 9개의 기준이 나왔다. 모든 참석자들의 동의를 구하여 기준에 대해 합의를 하였다.

< 알레르기/음식 민감성 등의 음식재료들 >	< 메뉴선정 기준 >
● 꼬막 ● 생토마토 ● 오이 ● 갑각류 ● 샐러리 ● 콜리플라워 ● 매운 것 (신라면 기준)	1. 한끼당 예산 145불 이내 2. 조리시간 1시간 이내 3. 조리 난이도 중 이하 4. 설거지 뒷정리가 간단한 음식 5. 식사, 설거지, 뒷정리를 모두 포함 총 소요시간 　 1시간 이내 6. 역할분담하여 모두가 조리에 참여할 수 있는 음식 7. 15명이 먹기에 충분한 음식 8. 대량으로 만들어도 맛있는 음식 9. 숙소에 베일 정도로 음식 향이 너무나 강하지 않은 　 음식

[세션 3] 바램 나누기 - 조별 활동 (30분)

각 조별로 본격적인 메뉴 선정을 진행하였다. 아이디어 발산을 위해 **카드 브레인스토밍**을 하였다. 모든 참석자들이 세션 2에서 세운 메뉴 선정 기준을 고려하여 자신이 원하는 음식 3가지씩 포스트잇에 각각 적도록 하였다.

'하나님' 조의 경우에는 모든 조원이 각자 다른 음식을 써냈다. 그 중 한 명이 조리과정이 생소하고 본인만 요리를 해본 경험이 있는 특별한 음식 하나를 주장을 했다. 다른 한 명은 동의를 하지 않고 있고, 나머지 나이 어린 조원들은 그저 묵묵히 가만히 있는 것을 볼 수 있었다. 그래서 조원들에게 "아까 모두가 합의한 메뉴 선정의 9가지 기준을 다시 본다면, 현재 상황에서 무엇을 고려할 수 있을까요?" 라고 질문을 하였다. 이후, 각자가 원하는 음식을 2개씩 선택하는 **다중투표**를 실시하여 최종 메뉴를 선정하였다. 그 결과, '잔치국수'가 최다득표로 선정되었다. '제자' 조의 경우에는 모든 조원이 공통으로 '부대찌개'를 써냈다. 만장일치로 '부대찌개'가 선정되었다. 마지막으로 '교회' 조는 "카드 브레인스토밍으로 나온 음식들을 가지고 조합을 해 본다면 어떤 메뉴를 창의적으로 만들어 낼 수 있을 것인가?"라는 질문을 통해 최종적으로 '배추된장국과 닭도리탕'을 선정하였다.

각 조에 "선정한 음식들의 메뉴 이름을 지어본다면 무슨 이름으로 하겠는가? 거기에 어떤 의미를 담겠는가?"라는 질문을 하였다. '하나님' 조는 메뉴 이름을 "가나의 혼인 잔치국수"로 정했다. 그 의미는 예수님께서 넘치게 주신 포도주 때문에 잔치가 계속 되었듯이 잔치국수를 나누며 예수님과 함께 하는 리트릿의 기쁨이 계속 되기를 바라는 마음이라고 하였다. '제자' 조는 "뿌.때.찌.깨"라는 이름을 정했다. 이는 부대찌개가 엄청 맛있다는 것을 강조하여 기대를 갖게 하는 의미라고 하였다. '교회'조는 어린 시절 추억의 애니메이션 『배추도사 무도사 』를 패러디하여 "배추도사! 닭도사!"로 정하였다.

메뉴 이름을 정한 후, 각 조별로 '어떤 식재료가 필요하고, 이를 누가 언제 얼마나 살 것인지'에 대해 상의하였다.

[세션 4] 공유하기 - 조별 발표 및 스케줄 정하기 (10분)

각 조별로 자신들의 선정한 메뉴와 그 이름의 의미를 나누는 발표의 시간을 가졌다. 다른 조의 메뉴 이름을 듣고서 몇몇 참석자들이 웃음을 터뜨리기도 하였다. 메뉴 이름의 의미를 듣고서 고개를 끄덕이기도 하고 '아~' 하고 감탄하는 것을 볼 수 있었다. 모든 참석자들에게 "의미를 담아서 메뉴 이름을 지어보니 어떠세요?"라는 질문을 했다. "재밌었다", "의미를 생각하여 이름을 만들어 보니 음식 이상의 의미로 다가와서 좋았다", "음식이 더 기대가 된다", "메뉴 이름을 만들어내는 각 조의 창의력이 놀라웠다" 등의 이야기가 나왔다.

마지막으로, 리트릿 스케줄을 고려할 때에 토요일 점심, 주일 점심, 주일 저녁 중에서 어느 조의 메뉴를 언제 먹으면 좋을까에 대해 의견을 나누었다. "토요일 점심 후에 밖으로 나가 하이킹을 하게 되니 점심식사를 든든한 것으로 먹었으면 좋겠다"는 의견이 나왔다. 몇몇 사람들이 고개를 끄덕이며 동의를 하였다. "주일 오후에는 밖에 나가지 않고 저녁때까지 실내 활동을 하게 되니 주일 점심은 가볍게 먹어도 좋겠다"는 의견도 나왔다. **다수결 투표**로 결정하였다. 그 결과, '제자'조의 "뿌.때.찌.깨"는 토요일 점심에, '하나님'조의 "가나의 혼인 잔치국수"는 주일 점심에, 그리고 '교회'조의 "배추도사! 닭도사!"는 주일 저녁에 먹는 것으로 합의를 하였다. 각 조별로 결정된 사항을 화이트보드에 기록하였다.

	'제자' 조	'하나님' 조	'교회' 조
메뉴	부대찌개	잔치국수	닭도리탕과 배추된장국
이름	뿌.때.찌.깨	가나의 혼인잔치국수	배추도사! 닭도사!
의미	엄청 맛있음을 강조하는 의미	가나의 혼인 잔치의 예수님의 기적처럼 예수님과 함께 하는 리트릿의 기쁨이 계속 되기를 바라는 마음	어린 시절 추억을 되살리며
담당시간	토요일 점심	주일 점심	주일 저녁

[클로징] 워크숍 결과물 리뷰(review) 및 소감 나누기(10분)

화이트보드를 보며 각 조의 메뉴 이름과 의미, 담당시간을 최종적으로 다시 리뷰하였다. 워크숍에 참석한 한 문장 소감을 **라운드 방식**으로 나누었다.

- "벌써 리트릿에 온 것 같아요~"
- "함께 플랜(plan)할 수 있어서 좋았습니다."
- "모두의 아이디어를 한 눈에 볼 수 있어서 기대감이 커지고 화이트보드에 정리를 잘 해주셔서 편안했습니다."
- "각자 원하는 것을 나누고 조율해서 계획을 짤 수 있어서 좋았습니다."
- "모두가 즐거울 리트릿을 함께 계획할 수 있는 게 신기하고 좋았습니다."
- "이렇게 다양한 사람들과 자신이 먹고 싶은 것을 나누니 색다른 경험이었고, 또한 잘 정리를 해주셔서 듣는 입장에서는 편했습니다."
- "다 함께 생각하고 준비해 가는 과정이 있어 더욱 특별하게 느껴졌습니다."
- "잘 이끌어주셔서 리트릿 식사 계획을 잘 세울 수 있었고, 모두의 의견이 반영된 것 같아서 좋았어요."
- "함께 할 요리인 만큼, 같이 생각하고 같이 계획하니 좀 더 준비된 마음으로 리트릿을 갈 수 있을 거 같아서 더 좋고 더 기대가 되는 시간이었습니다"
- "서로의 취향을 알아주고 애기할 수 있는 기회가 있어서 너무 좋았습니다." 모두의 박수와 함께 워크숍을 종료하였다.

본 워크숍을 하기 1주일 전에 교회에서 같은 참석자들을 대상으로 "리트릿 활동 선정" 주제의 워크숍을 했었다. 그 첫 번째 워크숍에서 놓친 부분들을 이번에는 좀 더 보완할 수 있었다. 오프닝

때 그라운드 룰과 아젠다를 미리 안내함으로써 아이디어 발산 시간에 참석자들이 토론을 하기 보다는 아이디어 발산에 더욱 집중하는 것을 볼 수 있었다. 워크숍을 하는 동안 전체 프로세스 설계를 적은 메모를 보면서 중간중간 시간을 확인하였더니, 지난 워크숍과는 달리, 마지막 클로징에서 워크숍 소감 나누기까지 계획된 시간 내에 여유롭게 할 수 있었다. 단어 조합 게임으로 즐겁게 조편성을 하며 워크샵을 시작할 수 있었다. 또한 음식 관련 끝말잇기 게임으로 참석자들이 '식사 메뉴 선정'이라는 워크숍 주제에 더욱 흥미를 느끼게 했던 것 같다. 참석자들의 자리 배치를 조별로 하게 하여 끝말잇기 게임 진행을 원활하게 한 것도 좋았다. 워크숍의 배경을 고려하여 1) 참석자들의 알레르기나 음식 민감성에 대한 음식 재료를 조사하고, 2) 메뉴 선정의 기준을 합의하여서 조별로 메뉴를 선정하게 함으로써 워크숍의 목적을 달성할 수 있게 한 점이 좋았다. 특히 선정된 음식을 의미를 담아서 메뉴 이름을 짓게 하는 활동을 통해 참석자들에게 흥미와 동기를 유발시킨 것이 좋았다. 이번 워크숍에서는 자유발언방식으로 아이디어의 발산을 통해 9가지의 메뉴 선정 기준을 정하였는데, 기준을 정한 후 잠시 쉬는 시간을 가졌다가 수렴 과정을 가졌더라면 어땠을까 하는 작은 아쉬움이 남는다. 퍼실리테이션에 대해 알고 있는 지식을 실제 현장에서 직접 해 보아야 비로소 '살아있는 지식'을 내 것으로 체득하게 되는 것을 더욱 깊이 느낀다. '경험은 많으면 많을수록 좋다'는 말처럼 경험을 통해 더 발전해 가는 것을 체험하면서 감사하고 또 앞으로가 기대가 된다.

워크숍을 마치고 나서 되돌아보니, 크리스천 퍼실리테이터로서 과연 어떤 차별점을 워크숍에 가져올 수 있을지 고민하게 되었다. 먼저는 워크숍 참석자 한 사람 한 사람의 존재에 대한 인식과 태도를 하나님 앞에서 돌아보아야 한다는 생각이 든다. 참석자 개개인 안에는 하나님께서 주신 잠재력이 있고, 이들이 모인 공동체 안에도 하나님께서 주신 잠재력이 있고, 그리고 퍼실리테이션은 그 잠재력을 이끌어내는 방식이라는 인식은 크리스천 퍼실리테이터의 태도로 이어질 것이다. 크리스천 퍼실리테이터는 참석자들이 잠재력을 스스로 끌어낼 수 있도록 성령 하나님의 인도하심에 따라 그들을 도와주는 사람이다. 이것을 기억할 때 하나님 앞에는 겸손함으로, 첨석자들에게는 존중과 중립의 태도로 나아갈 수 있다.

크리스천 퍼실리테이터의 역할에 대해서 여러 관점과 각도로 다양하게 표현할 수 있겠으나, 여러 음식재료들 속에 잘 녹아져서 버무려짐으로써 음식재료들의 맛을 더해주는 '소금'이 떠오른다. 크리스천 퍼실리테이터는 다양한 성격, 취향, 생각, 의견을 가진 참석자들이 워크숍의 장(field) 안에서 자신을 안전하게 드러내게 한다. 그리고 그들이 서로의 다름 가운데서 조화를 이루어서 연합하게 함으로써 하나님의 뜻을 이루도록 돕는다. 이 두 가지가 크리스천 퍼실리테이터의 역할인 것 같다. 그렇기에 교회와 신앙 공동체 안에 소금의 역할을 하는 퍼실리테이터의 존재가 필요하다.

또한 크리스천 퍼실리테이터는 설계부터 현장준비, 오프닝, 본토의 그리고 클로징에 이르는 모든 프로세스를 내 생각과 계획대로 하는 것이 아니라 하나하나 하나님께 물어야 함을 느낀다. 하나님께서 주시는 지혜와 창의력으로 워크숍을 설계할 때에 공동체 안에 하나님의 뜻이 이루어지고 그 분의 영광이 드러나게 될 것이다. 이를 위해서는 크리스천 퍼실리테이터는 모든 과정을 그 분과 함께 하는 것임을 다시금 깨닫는다. 워크숍의 장 안에 성령 하나님을 초청하고 '지금-여기'에서 함께 하시는 그 분의 인도하심을 따르는 겸손과 순종이 있어야 함을 본다. 나아가 크리스천 퍼실리테이션의 프로세스에 성경말씀이나 찬양 등을 어떻게 적용할 수 있을지에 대해서도 생각해 보게 된다. 본 워크숍을 통해 크리스천 퍼실리테이터로서의 마인드셋(mindset)과 그 역할에 대해 다시금 깊이 생각해 보게 되었고, 앞으로 크리스천 퍼실리테이션에 대한 연구와 계발이 더욱 활발하게 이루어지기를 소망한다.

시니어의 생애전환을 위한 퍼실리테이션 워크숍

이정미

"우리의 연수가 칠십이요 강건하면 팔십이라도
그 연수의 자랑은 수고와 슬픔뿐이요 신속히 가니
우리가 날아가나이다"
(시 90:10)

초고령사회의 도래는 시니어들에게 개인적·사회적으로 수많은 변화를 가져왔다. 그들은 자신의 일터에서 은퇴하거나, 배우자나 친구를 상실하는 등 삶의 반경이 축소됨을 경험하며 다가올 인생에 대한 활력과 자신감을 잃어가고 있다. 이러한 변화와 상실의 한가운데서 그들이 맞이할 인생의 다음 단계에 닥쳐올 많은 도전과 기회를 지혜롭게 받아들이도록 돕기 위해 <시니어의 생애 전환 워크숍>을 진행하게 되었다.

이번 워크숍은 이러한 변화의 여정 속에 참여한 모든 시니어의 인생 경험에서 오는 귀중한 통찰력이 미래의 삶을 더욱 윤택하게 가꾸어 줄 수 있다는 믿음으로 시작하게 되었다. 그들과 삶에 대한 진솔한 이야기를 나누며, 그 안에서 진정한 삶의 의미를 찾아보고, 어떻게 생애전환기를 다시 설계하여 외롭고 절망적이기보다 함께 하는 희망적인 미래를 살아갈 수 있는지를 논의해 보았다. 저자는 이러한 논의의 촉진자로서 이번 워크숍을 진행하면서 그들이 살아온 삶의 여러 상황에서 가져온 탄력성과 지혜, 삶을 향한 강인한 에너지를 목격하는 특권을 누렸다.

이번 워크숍은 생애전환기를 맞이한 시니어들의 미래에 대한 설계와 성장과 성취를 위한 심오한 탐구의 여정이며 희망찬 미래로의 초대이다. 이 예시가 생애전환기를 맞이하는 모든 이들에게 삶의 희망과 영감을 제공하는 작은 선물이 되길 바란다.

목적: 생애전환기의 시니어들이 건강하고 활동적인 삶을 영위하는 방법을 논의함으로써 자신감을 회복하고 주체적으로 삶을 살아가도록 돕는 것이다

결과: 실천방안 찾기

시간: 2시간

장소: 강의실

준비단계

일찍 도착한 참가자들을 맞이하고 정보와 자료를 준비, 토의 도구, 기자재 등을 점검한다.

인사와 안내

환영 및 퍼실리테이터 소개 & 워크숍의 목적 안내

- 환영인사 및 퍼실리테이터 소개

"안녕하세요? 생애전환 워크숍에 오신 것을 환영합니다. 저는 이번 토론의 진행을 맡게 된 퍼실리테이터 이정미입니다. 만나 뵙게 되어 반갑습니다. 오늘 주제에 대해 모두가 참여하여 다양한 의견을 나누고 뜻깊은 결과를 얻을 수 있도록 노력하겠습니다. 감사합니다."고 환영 인사하고 퍼실리테이터 자신을 간단하게 소개한다.

- 워크숍의 목적

우리 사회는 빠르게 초고령화 사회가 되었다. 아이의 울음소리도, 임산부도 눈에 띄게 줄어들었다. 시니어가 생산의 주체가 되어가고 삶의 시간은 점점 길어지고 있다. 이러한 시대의 삶의 주체로 어떻게 살아가야 하는지에 대한 고민이 시니어에게 남겨졌다. 저자는 생애 전환기를 맞이한 시니어들과 동행하여 그들과 함께 주체적으로 살아갈 삶을 기획하는 시간을 가져 보았다.

워크숍 규칙 및 예절 안내 및 순서 안내

토론 중 참석자들 간의 예절과 존중, 토론의 발언 순서 및 시간제한이 있음을 설명하고 워크숍을 진행하는 전체 순서를 안내한다.

라포 형성

자기소개와 팀빌딩 (아이스브레이킹)

조별로 팀을 정하고 원형으로 둘러앉아 자기소개 소책자로 자기소개를 함으로써 어색한 분위기를 없애고 친밀감을 더하도록 한다.

- 8쪽 소책자로 자기 소개하기

퍼실리테이터는 각 참가자에게 고급 A4용지를 나누어 주고 책을 접는 방법을 시연하면서 설명한다.

- 1쪽: 자신의 이름 앞에 자신에게 맞는 형용사를 붙여 이름 쓰기

- 2쪽: 생활하는 지역을 쓴다.

- 3쪽: 가 좋아하고 즐겨하는 것을 적는다.

- 4쪽: 오늘 점심으로 추천하고 싶은 메뉴와 그 이유를 적는다.

- 5쪽: 여행하고 싶은 장소와 여행하려는 이유를 적는다,

- 6쪽: 추천하고 싶은 인생 드라마, 영화, 뮤지컬, 연극, 책 등을 적는다.

- 7쪽: 이 워크숍에 대한 기대를 적는다.

- 8쪽: 책으로 출판된다면 책정할 책값을 적는다.

다 완성되었으면 돌아가면서 자신을 소개하도록 안내한다. 이 과정은 각 참가자의 성명, 사는 곳, 취미, 좋아하는 음식, 성격, 워크숍에 대한 기대 등을 파악할 수 있는 흥미진진한 시간이다. 처음 만난 구성원들이 서로 빠르게 친해질 수 있도록 따뜻하고 친밀한 분위기가 조성되면 모두가 마음을 열고 효과적으로 협력할 수 있다.

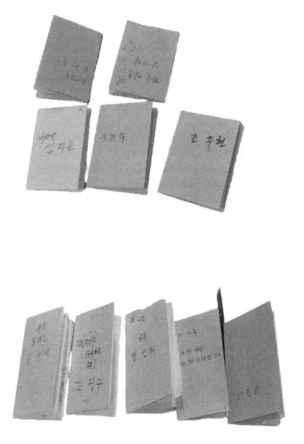

[8쪽 자기소개 소책자]

▪ **소그룹 조 구성하기**

자기소개 후 4~5명이 한 팀이 되어 조장을 선출하고 조 이름, 조이름의 의미, 조 구호 등을 작성하여 플립차트에 적고 꾸민 후, 조장이 발표한다.

  퍼실리테이터는 참가자들이 서로 마음을 열고 친밀감을 형성하며 결속을 강화할 수 있는 소중한 기회임을 인식하고, 효과적이고 원활한 토론을 위해 충분한 라포형성 시간을 확보한다.

[소그룹 구성 활동]

바랜나누기(브레인스토밍, 유목화)

  생애전환의 의미와 예시 소개

- 파워포인트로 작성하여 생애전환의 의미를 전달

- 생애전환기를 성공적으로 살아가는 시니어 소개

사회적 기업 더 퍼 노경환 대표, 92세 시니어 모델 카르멘 델오레피스, 소리꾼 장사익 소개

생애전환에 대한 바람, 목표, 의견 나누기

다른 시니어들의 다양한 삶의 예를 본 후, 참석자들이 자신의 바람, 목표, 의견 등을 다른 참가자들과 공유한다. 모든 토론에서는 공평하게 발언 기회가 주어짐을 상기시키고 정확한 시간 관리를 위해 타임 키퍼를 두어 발표 시간이 지연되지 않도록 관리한다.

소그룹 토의

그룹 및 경험 공유

- 내 인생의 랜드마크 찾기와 인생 그래프 그리기

이 과정에서 참가자들은 그들의 경험을 공유하고 다른 사람의 이야기에 귀 기울이며, 서로의 관점을 이해하고 지지와 영감을 주고받을 수 있다. 각자 인생의 터닝포인트, 좋은 도전이 되었던 일, 힘들었던 일 등을 5년 주기로 작성하고 랜드마크를 기본 내용으로 인생 그래프를 그린다.

- <회복탄력성> 브레인스토밍

"우리의 삶은 온갖 역경과 어려움, 불행이 늘 공존하는데, 이 가운데에서도 역경에 적극적으로 대처하고 시련을 견뎌 낼 수 있는 능력을 <회복탄력성>이라고 합니다. <회복탄력성>이 높은 사람은 밑바닥까지 떨어져

도 꿋꿋하게 다시 튀어 오를 수 있습니다."라고 회복탄력성의 의미를 설명하고 참가자들이 인생 랜드마크와 그래프에서 발견한 자신의 <회복탄력성>을 브레인스토밍하도록 격려한다.

- 자신의 <회복탄력성>을 포스트잇에 쓰고 유목화하기

조별로 자신의 인생의 고비에 건재할 수 있게 한 에너지는 무엇이었는지 포스트잇에 3가지 이상 적고 각자 적은 아이디어를 공유한 후, 비슷한 아이디어끼리 그루핑한다(유목화). 퍼실리테이터는 브레인스토밍이 어려운 참가자들을 위하여 예시나 질문을 통해 아이디어 발산을 활성화하고 내용이 잘 분류되었는지 확인한다. 주로 성실함과 책임감, 건강한 정신과 육체, 가족의 도움, 새로운 도전 등으로 역경을 극복했다는 의견이 많았다.

- 생애전환기에 건강하고 활동력 있는 삶을 영위하는 방법 리스트 만들기

이번 워크숍은 참가자들이 인생의 전환기에 '건강하고 활동적인 삶을 영위하는 방법'을 찾아가는 과정이다. 이에 대한 리스트를 작성한 전체 과정을 플립차트에 꾸미고 조별로 전시한다.

퍼실리테이터는 다음과 같은 질문을 통해 참가자들이 생애전환 경험, 고민, 또는 관심사에 의견을 나누도록 격려하고 아이디어 리스팅 하도록 도움을 준다.

- 어떤 미래를 꿈꾸는가?
- 어떻게 자신의 회복탄력성으로 인생에서 역경을 딛고 일어섰던 경험 생애전환기의 건강한 삶을 연결할 것인가?
- 미래를 위해 가져갈 것은 무엇인가?

이 과정에서, 퍼실리테이터는 빅마우스가 대화의 틀을 파괴하는지, 또

는 침묵하고 있는 참석자가 없는지 관찰하여 소외되는 참석자가 없이 공평하게 발언의 기회를 유지하도록 돕고, 타임 키퍼를 두어 주어진 시간 내에 대화가 원활하게 이루어지도록 한다.

휴식

다른 조의 결과물 살펴보기(갤러리 워크)

휴식 시간에 다과와 차를 마시며 다른 조의 결과를 둘러보는 시간을 갖는다.

발표

각 조에서 발표하고 서로 공유하기(갤러리 워크, 의사결정 그리드)

- 의사결정 그리드로 각 조원의 의견을 조율하여 리스트 완성하기

  아이디어 리스트와 실천 방법이 너무 많거나 다른 조와 중복될 경우, 휴식 시간을 이용하여 다른 조의 결과물을 살펴보며 아이디어를 공유하고, 필요시 논의를 통해 더 좋은 해결책을 도출하거나, 새로운 내용으로 바꾸어 발표할 수 있다.

- 참가자가 낸 의견을 '의사결정 그리드'로 한 가지 주제를 정하고 세부 항목을 토론한다.

-

- 각 조에서 발표한 내용

1조 건강과 웰빙

건강한 라이프 스타일을 유지하고 노년기 건강을 촉진하는 방법에 대한 논의가 가장 많았다. 올바른 식사, 운동, 여행 등을 하며 건강한 신체와 정신을 유지하며 생애전환기를 보내기 위한 세부 항목은 다음과 같다.

- 규칙적인 운동/균형 잡힌 식사/스트레스 관리/충분한 수면

2조 인간관계의 다양화

참가자들이 다양한 인간관계 경험하거나 배우자 및 가족과의 이별을 경험한 세대이므로 무엇보다 인간관계의 중요성이 강조되었다. 참가자들에게 대인관계의 개선을 위한 소통 및 대화기술의 필요성과 어떻게 더 풍성하고 건강한 사회적 관계를 유지하고 구축할 수 있는지에 대한 의견이 많았다.

- 취미 모임이나 관심사를 공유하는 그룹에 참여지역/봉사 단체나 자원봉사 프로그램에 참여/가족, 친구와 연락 유지/소통 및 대화기술 훈련

3조 스트레스 관리

스트레스 관리 방법으로 여행, 취미생활, 명상, 종교적인 기도와 묵상 등을 꼽았으며 참석자들의 삶의 변화와 어려움에 대처하는 방법을 찾았다.

- 규칙적인 운동 실천/명상과 기도의 시간 갖기(마음 챙기기)/취미 활동에 몰입하기/자연 속에서 조용하고 느긋한 활동 즐기기

4조 재창업과 새로운 기회

은퇴 후 새로운 기회를 찾고 창조적으로 활동거나 사회에 기여하겠다

는 의견이 많았으며, 이를 위해 시니어의 취미나 특기가 창업이나 직업의 기회로 이어지도록 지원하는 제도가 필요하다는 의견이 있었다.

- 자원봉사나 봉사활동/자신의 전문지식을 사회에 기여/교육 및 강의 활동에 참여/새로운 취미 및 관심사 개발/자신의 강점과 특기를 살려 비즈니스로 확장

실천하기

목표 및 실천 계획(도트보팅)

참가자들은 자신의 실행 계획을 작성하고 이를 다른 참석자와 공유한다. 먼저 우선순위 실천 방법을 작성하고 만약 의견이 잘 모아지지 않으면, 실천 방법 리스트를 작성하고 1인당 두 번의 스티커 투표를 통하여 결정한다. 이때, 퍼실리테이터는 다음과 같은 질문을 통하여 참가자들이 실천 계획을 잘 작성하도록 돕는다.

1. 우리가 달성하고자 하는 계획이 목적에 명확하게 맞나요?(목적)

2. 가장 먼저 무엇부터 시작할 수 있나요?(우선순위)

3. 언제 어떤 일을 시작하고 완료할 건가요?(실행시점)

4. 이 계획을 실행하는데 어떤 잠재적인 위험이나 문제점이 있을 것으로 예상되나요?(장애물확인)

5. 성과를 어떻게 평가할 건가요?(평가척도)

6. 이 계획이 성공적으로 실행되었을 때 어떤 결과를 기대하나요?(결과 확인)

- 칭찬 카드 만들기

오늘 세운 실행 계획이 성공적으로 실행된 1년 후의 모습을 생각하며

자신을 칭찬하는 카드 만들고 조에서 공유한다. 이 활동은 실행 계획을 실천하는 것을 가능하도록 동기부여하고 긍정적인 에너지를 줄 수 있다.

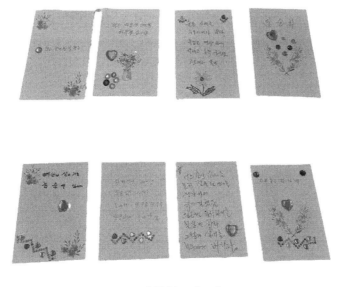

[칭찬 카드]

- 다음 회의 합의하기

우선순위에 있는 계획을 한 주간 실천하기와 다음 회의를 안내한다.

정리 및 결론

오늘의 목적과 결과물 돌아보기

참가자들이 퍼실리테이션과 토론에 대해 피드백을 하는 시간으로, 결과물이 나오기까지의 과정 중 좋았던 점과 아쉬웠던 점을 되돌아보며 의견을 공유한다. 주로 인생을 돌아볼 수 있는 기회를 제공한 점과 미래를 긍정적으로 바라보고 실천 계획을 세워 본 과정을 뜻깊게 생각하고 있었고, 계속해서 아이디어를 내거나 발표 기회가 많아서 힘들었다는 지적도 있었다.

소감 발표

　전체 내용을 돌아보고 각자 소감 발표

생애전환 워크숍을 돌아보고 각자 배우고 느끼고 실행할 것에 대해 발표한다.

- 인생을 돌아보며 미래를 설계하는 뜻깊은 시간이었다.

- 어려운 상황에 놓여 있었는데 희망을 얻게 되었다.

- 그동안 일에 집중하느라 가족과 시간을 보내지 못했는데 앞으로 가족을 소중히 여기도록 하겠다.

- 발표하는 것이 어려웠는데 이 과정을 통하여 발표력이 향상되었다.

- 다른 사람의 삶과 경험에서 많은 영감을 받았다.

- 앞으로 내 삶을 소중히 여기며 살겠다

　이번 워크숍은 은퇴한 후 자신감을 상실하고 위축되어있는 참가자들이 자신의 인생을 되돌아보고 인생의 랜드마크와 인생 그래프, 회복탄력성을 작성하면서 어떻게 도전과 어려움을 극복해 왔는지를 공유하며, 생애전환기에 건강하고 활동적인 삶을 살아갈 방법을 찾는 데 중점을 두었다. 이 과정을 통해 참석자들이 자신의 삶을 되돌아보며 과거의 업적과 강점을 발견하게 되었고, 자신의 경험과 삶의 업적을 새롭게 평가하며 자신감을 회복하는 계기가 되었다. 이런 자신감의 회복은 생애전환기를 긍정적으로 대처하고 앞으로의 인생을 적극적으로 대비하도록 동기부여하였다. 참가자들이 서로 다른 경험과 배경을 가지고 있지만 비슷한 환경에 놓여 있음을 깨달음으로써, 서로에게 용기를 주었고, 건강하고 활동적인 미래를 위해 함께 방법을 모색하고 실천하게 되었다. 이런 점에서 그들이 함께 아이디어를 모으고 의견을 수렴하고 긍정적인 결론에 이르도록 돕는 퍼실리테이션의 중요성을 알게 되었고, 가슴 벅찬 보람을 느꼈다.

워크숍을 돌아보며, 시간 관리, 균형 있는 발언 관리, 의견 수렴과정 등 곳곳에 보완할 점과 부족한 점이 많다는 것을 알게 되었다. 특별히, 크리스천 퍼실리테이터로서, 공공의 성격을 띤 워크숍을 진행하면서 크리스천 참가자들이 신앙에 대한 의견을 제시했음에도 불구하고, 적극적으로 기독교적 방법으로 대안을 찾을 수 있도록 돕지 못했다는 것이 아쉬움으로 남았다. 앞으로 크리스천 시니어들이 하나님 안에서 정체성을 찾고 건강한 하나님의 자녀로 노년의 삶을 영위할 수 있도록 돕는 퍼실리테이션 기회가 주어지기를 소망해 본다.

에필로그

  퍼실리테이션 과목을 강의하면서 종교분야에도 필요성을 알게 되었다. 관련책을 많이 보기는 했지만 마땅한 책을 찾아 보기가 어려웠다. 학우들과 함께 배우면서 같이 공부하는 중에 크리스천분야의 퍼실리테이션을 어떻게 진행하고 시너지를 높일 수 있을까하는 고민을 하면서 함께 저술해보게 되었다.

  교회는 많은 회의를 하지만 주먹구구식으로 하게 되지 않도록 지침을 갖고 하면 더 좋은 시간이 되리라 생각된다. 퍼실리테이션은 리더로 세우는 좋은 도구일뿐 아니라 내재된 지혜를 활용하는 시간도 되고 자신과 다른 사람과의 관계를 통해서 자신을 내려놓고 다른 사람을 더 포용하면서 스스로가 성장하는 계기도 되었다.

  사람은 누구나 존중받아야 함에도 세상에서 수단으로 여겨질 때 관계는 깨지고 상처가 된다. 사랑의 마음이 될 때 따뜻한 사회가 되고 서로가 서로를 격려하게 된다. 그것을 실천하는 퍼실리테이터가 더 많은 따숨을 주는 매개체의 역할이 되리라 믿는다.

  사람의 만남은 우연이 없다. 하나님이 간섭하심과 은혜가 만들어 주기 때문이다. 누구나 처음 배우고 실행할 때는 떨림과 고민과 연구함으로 접근한다. 다른 사람과의 소통중에 확장되는 자신을 보게 되고 생각도 하지못한 나눔에서 성장이 일어난다. 그런 시간을 퍼실리테이션이 갖게 해준다.

  청소년과 성인, 시니어에 이르기까지 더 많은 확장과 연구로 좋은 사례가 되기를 기대해 본다. 다양한 분야와 대상에 따라 더 좋은 퍼실리테이션의 연구와 기법이 생기기를 바라면서 함께한 학우님들을 축복한다.

참고문헌

채홍미, 주현희, 소통을 디자인하는 리더 퍼실리테이터, INU.
브라이언 스탠필드, 컨센서스 워크숍 퍼실리테이션, ORPpress.
박진, 퍼실리테이션을 만나다, 플랜비디자인.
구기욱, 쿠 's 퍼실리테이션, KOOFA BOOKS.
구기욱, 민주적 결정방법론, KOOFA BOOKS.
주현희, 더 퍼실리테이션, 플랜비디자인.
모리 도키키코, 성공하는 팀장은 퍼실리테이터다, 서돌
브라이언 스탠필드, 컨센서스 워크숍 퍼실리테이션, 한국긍정변화센터.
Dale Hunter, 그룹 시너지 창출 퍼실리테이션, 시그마프레스